VillA Alfabet

Zwevend bezoek

Zwevend bezoek

Peter Vervloed

educatieve

uitgeverij

Maretak

VillA Alfabet is een leesserie voor de betere lezer van groep 3 tot en met groep 8.
VillA Alfabet Groen is bestemd voor lezers vanaf groep 5.
Een VillA Alfabetboek biedt de goede lezer een uitdagende lees-ervaring en verdiept deze ervaring door het extra materiaal dat in het boek is opgenomen. Daarnaast is bij elk boek materiaal ont-wikkeld dat in een aparte uitgave is verschenen: 'VillA Verdieping'.

STICHTING NEDERLANDSE
KINDERJURY
2006

© 2005 Educatieve uitgeverij Maretak, Postbus 80, 9400 AB Assen

Illustraties: Margo Bouwhuis
Tekst blz. 6 en blz. 106-107, 110-111: Ed Koekebacker en Karin van de Mortel
Vormgeving: Cascade visuele communicatie, Amsterdam
Illustratie blz. 106-107: Gerard de Groot
ISBN 90 437 0251 x
NUR 140/282
AVI 8

Inhoud

(Als je  tegenkomt, ga dan naar bladzij 110.
En als je het boek uit hebt, kom dan op bezoek in VillA
Alfabet, op bladzij 106-109.)

Heb jij ze nog nooit gezien? De boekballonnen?
Onverwachts verschijnen ze uit het niets.
Ze zweefduiken met hun boeken naar beneden. Wie er door
*wordt overvallen, kan niet anders: je **moet** hun verhalen*
lezen!

1 *Ergens in Nederland*
De eerste twee ballonnen zijn voor Koen en Erik

'Ik wil nooit meer met je spelen!' De woorden van Erik klinken hard over de speelplaats, kaatsen tegen de muur en vluchten ijlings door de spijlen van de poort de straat op.
Zijn vriend Koen kijkt hem verbaasd aan. 'Waarom niet?'
'Daarom niet!' schreeuwt Erik.
Met gebogen hoofd loopt Koen weg. Hij gaat tegen de muur van de speelplaats staan en staart naar de veters van zijn sportschoenen. Hij weet heel goed waarom Erik zo vervelend tegen hem doet. Bij de gymles was er tijd over voor een partijtje trefbal. Koen en Erik mochten de partijen kiezen. Dat was nog nooit gebeurd. Altijd zaten ze in dezelfde partij, want Koen koos Erik of Erik koos Koen. Dat is logisch, als je vrienden bent.

'We zitten liever samen in een partij, meester,' probeerde Koen nog.

Meester Ad schudde zijn hoofd. 'Vandaag spelen jullie tégen elkaar in plaats van mét elkaar, weer eens wat anders.' En het zou anders worden, maar niet op de manier waarop meester Ad het bedoelde.

Dus stonden de twee vrienden tegenover elkaar in het veld. Toen het startsignaal van meester Ad klonk, had Koen de bal in zijn bezit. Vanuit zijn ooghoeken zag hij dat Erik nog aan het praten was met een van zijn partij-genoten. Misschien hadden ze het over de te volgen tactiek. Die zou Erik niet meer te weten komen, want Koen gooide zijn vriend met een welgemikte worp af. Happend naar adem sloeg Erik dubbel, want de bal was voluit tegen zijn maag geploft.

Het fluitje van meester Ad snerpte door de zaal, het spel viel stil en Koen rende naar Erik toe. Hij kwam tegelijk met meester Ad bij zijn vriend aan.

'Ik... ik deed het niet expres,' hijgde Koen.

'Natuurlijk niet,' stelde meester Ad hem gerust, 'Erik had zijn verdediging nog niet in orde. Eigen schuld.'

Meester Ad ging achter Erik staan, pakte hem bij zijn schouders en trok hem achterover. 'Gewoon blijven ademen,' commandeerde hij.

8

Dat deed Erik, maar dat was niet alles. Hij keek Koen aan met een gezichtsuitdrukking die Koen niet van hem kende: meer dan woede sprak eruit. Meester Ad verergerde de situatie nog eens door te zeggen: 'Je bent af, Erik, ga maar op de bank zitten, bij een vangbal mag je weer terug.'

Dit keer duurde het erg lang voordat iemand van de partij van Erik de bal ving. Of verbeeldde Koen zich dat?

Toen Erik weer in het veld mocht komen, probeerde hij op alle mogelijke manieren Koen met de bal te raken. Van inspanning en woede werd zijn gezicht steeds roder.

'Je lijkt wel een ballon! Straks knal je uit elkaar!' riep Koen, maar dat grapje viel verkeerd.

Erik trok zelfs de bal uit de handen van zijn medespelers en slingerde hem met alle kwade kracht die in hem zat naar Koens hoofd.

Meester Ad blies op zijn fluitje en wees met een vinger die geen tegenspraak duldde naar de kleedkamer.

'Onsportief gedrag, Erik, aankleden!'

Met gebogen hoofd liep Erik naar de kleedkamer. Hij wierp Koen een vernietigende blik toe en smeet de deur hard achter zich dicht. De kinderen werden er in één klap doodstil van en het spel stokte even. Maar meester Ad knipperde niet eens met zijn ogen. Hij bleef bij zijn beslissing: onsportief gedrag betekent aankleden!

Koen kijkt naar Erik. Hij staat met de andere jongens te
kletsen en te lachen. Ze geven elkaar vriendschappelijke
duwtjes. Waar hebben ze het over? vraagt hij zich af. Zal
hij naar Erik toe stappen om het goed te maken? Maar hij
heeft toch niks verkeerds gedaan? Erik moet zelf maar
komen.

De dag gaat voorbij zonder dat Erik komt. Koen is lucht
voor hem. Die lucht stinkt blijkbaar, want Erik haalt luid-
ruchtig zijn neus op als hij toevallig in de buurt van Koen
moet zijn. Wat is vriendschap waard als één bal daar al
een einde aan kan maken? denkt Koen. Als het nou om
honderdduizend euro ging of om de grootste diamant van
de wereld...

Die nacht krijgt Koen onverwacht bezoek. Nee, het is niet
Erik. Een grote, groene ballon zweeft zacht tegen zijn
slaapkamerraam aan. Koen zou het niet eens gemerkt
hebben als hij, zoals gewoonlijk, meteen in slaap gevallen zou zijn. Maar hij is klaarwakker. Als hij aan de ruzie
met Erik denkt, voelt hij zich alleen op de wereld en met
dat gevoel kun je niet lekker gaan slapen. Vandaar dat hij

10

tussen de spleet van zijn gordijnen door een groene
streep ziet verschijnen. Hij stapt uit bed, trekt de gordijnen open en staart met open mond naar de ballon.
'Wat... waarom... wie?' mompelt hij.
Op al die vragen krijgt hij geen antwoord. Wel ziet hij een
boek aan de ballon hangen. Hij opent het raam, trekt het
boek naar zich toe...

Als Erik 's avonds in bed ligt, kan hij de slaap niet vatten.
Waarom moest Koen hem, zijn beste vriend, nou afgooi-
en? Dat was goed waardeloos. Als het nou om de
Europacup ging of om de wereldbeker? Maar bij zo'n stom
partijtje trefbal hoefde Koen toch niet zo fanatiek te
doen?
Erik stapt uit bed en tuurt tussen de gordijnen door naar
buiten. Aan de overkant van de straat slaapt Koen. Slaapt
hij echt of ligt hij ook te piekeren? Plotseling drukt een
grote, groene ballon zacht tegen het raam van Erik aan.
Van schrik doet hij een stap naar achteren. De ballon
stijgt een stukje, zodat Erik het boek ziet. Voorzichtig
opent hij het raam, trekt het boek naar zich toe...

Terwijl Koen en Erik lezen, houden de twee ballonnen
zacht wiegend de wacht.

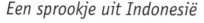

Een sprookje uit Indonesië

Te groot voor onze wereld

Dongso kwam uit zijn gebukte houding overeind, strekte zijn rug en keek rond. In de uitgestrekte diamantgroeve zaten groepjes mensen bij elkaar. Ze deden dag in dag uit hetzelfde werk als Dongso, zijn vriendin Awena en zijn vriend Sami.

Dongso hakte met een houweel grote kluiten aarde los en legde ze in de bak met water. Sami stampte razendsnel de kluiten fijn tot een dikke pap van modder en Awena schepte de modder met een rieten mand vanuit de bak in haar zeef. Dan schudde ze de zeef heen en weer. Drie paar ogen bekeken daarna de steentjes die achtergebleven waren. Als een van die steentjes het zonlicht opving en terugkaatste, hadden ze een piepkleine ruwe diamant gevangen. Elke dag vonden ze een paar van die glinstersteentjes. Die bewaarde Dongso veilig in een zakje dat hij om zijn nek had hangen tot ze de diamantjes aan de handelaar uit de stad konden verkopen. Hij bezocht de mijn eens per week met klinkende munt en ritselend papiergeld.

Het werk in de groeve was zwaar, maar als ze hun verdiende loon eerlijk verdeeld hadden, konden ze er goed van

12

leven. Hun wereld was klein, maar ze waren gelukkig met elkaar. Wat wil je nog meer?

Awena was de eerste die de enorme diamant zag liggen. Hij was nog groter dan een kippenei en schitterde zo fel dat het meisje een hand voor haar ogen moest houden om niet verblind te worden. Toen zagen Dongso en Sami hem ook.

'Het is vandaag onze geluksdag!' riep Dongso, terwijl hij de diamant op zijn hand woog, 'we zijn rijk!'

'Stil,' fluisterde Sami. Hij gluurde naar de andere groepjes in de groeve. Gelukkig hadden die niets in de gaten en werkten ze onverstoorbaar door. 'We moeten onze vondst geheim houden, niemand mag het weten, deze diamant is alleen voor ons drieën.'

'Dit is de grootste diamant van de hele wereld,' zei Awena. 'Hoe komt hij hier terecht?'

'Volgens mij is hij uit de hemel gevallen.' Dongso keek naar de blauwe lucht boven hem, alsof hij een regen van diamanten verwachtte.

'Een gevallen ster,' fluisterde Awena, 'dan mag je toch een wens doen?'

'Onzin,' gebaarde Sami. 'Over drie dagen kunnen we hem voor veel geld aan de handelaar verkopen, we zijn rijk.'

Dongso stak zijn hand uit. 'Ik zal de diamant bewaren tot hij komt.'

Awena gaf hem de diamant.

Zelfs in de grote hand van Dongso was hij nog indrukwekkend.

'Waarom jij?' vroeg Sami.

'Ik bewaar toch áltijd de diamantjes die we opgraven? Vertrouw je me niet?'

Sami kreeg een kleur. 'Jawel, maar...'

'Maar wat?'

'Onze diamant is veel geld waard. Je kunt nooit weten.'

'Je denkt toch niet dat ik hem stiekem verkoop en het geld voor mezelf hou?'

'Nee, maar dit is een belangrijke vondst. Laat míj hem deze keer maar bewaren.'

'Waarom jij?'

Awena griste de diamant uit de hand van Dongso. 'Ik bewaar hem, jullie maken er toch ruzie over. Per slot van rekening heb ík hem gevonden.'

'Nee ík, want ik ben de sterkste van ons drieën.' Dongso liet zijn armspieren rollen. 'Als ik de kluiten niet uit de aarde gehakt had, was die diamant nooit tevoorschijn gekomen.'

'Nee, ík bewaar hem!' riep Sami. 'Als ik de kluiten niet

fijngestampt had, zou de diamant voor ons verborgen gebleven zijn.'

'En ík dan?' vroeg Awena. 'Als ik de modder niet gezeefd had, zouden we hem nooit hebben zien glinsteren.'

Ze maakten zoveel lawaai dat enkele groepjes nieuwsgierig hun kant op keken. Awena merkte dat. 'Zo komen we er niet uit,' zei ze. 'Weet je wat? We bewaren om beurten de diamant. Ik begin, want ik zag hem het eerste. Morgen is Sami aan de beurt, want hij is de middelste en overmorgen jij, Dongso. Jij mag de diamant aan de handelaar overhandigen, zoals altijd.'

De twee jongens keken elkaar aan. Toen haalden ze hun schouders op. Ze konden geen betere oplossing bedenken. Zo gewoon mogelijk gingen ze weer aan het werk. Af en toe glimlachten of knipoogden ze stiekem naar elkaar. We hoeven eigenlijk niet meer in de grond te ploeteren, stond in hun ogen te lezen. Ze voelden zich de koning te rijk, maar achter hun ogen groeide wantrouwen.

's Nachts lag Awena met de diamant in haar hand geklemd op haar bamboematje. Ze sliep onrustig. Telkens werd ze wakker. Hoorde ze iemand rond het huis sluipen? Een dief! Met grote angstogen lag ze naar het plafond te staren. Maar er kwam geen insluiper binnen om de diamant

uit haar hand te wringen. Dat kon ook niet. Niemand,
behalve zij, Sami en Dongso wist van hun vondst af.
Maar... misschien kwam een van haar vrienden de diamant
stelen. Awena schrok zo van die zwarte gedachte dat ze
de diamant ver van zich af wou gooien. Ik ben blij dat
morgen Sami aan de beurt is om hem te bewaren, dacht
ze, dan kan ik tenminste weer goed slapen.

Toen Dongso en Sami haar vroeg in de morgen kwamen
halen om naar de groeve te gaan, stond Awena op haar
benen te tollen van vermoeidheid.
'Heb je de diamant nog?' vroeg Dongso.
Het slaperige gezicht van Awena kreeg een kwaadaardige
uitdrukking. 'Kan er geen "goedemorgen" meer vanaf?'
'Ook goedemorgen,' mompelde Dongso, terwijl hij een
kleur van verlegenheid kreeg. 'Waar is onze steen?'
Awena liet het grote glinsterei zien. Toen stopte ze hem
weer vlug tussen haar kleren. Daar, waar grijpgrage handen niet mochten komen.

Het werk in de groeve vlotte niet meer. Alledrie dachten
ze hetzelfde: Dit is nutteloos, als de handelaar geweest
is, kunnen we de rest van ons leven doen wat we willen.
Ik koop een paleis met een park en een zwembad, mijmer-

de Dongso, terwijl hij lusteloos in het zand hakte. Ik
neem zelfs een bediende om mijn nagels te knippen.
Sami stampte de kluiten veel langzamer fijn dan anders.
Dat kwam doordat hij dacht aan het zeiljacht wat hij zou
gaan kopen. Hij zag zijn boot al met bolle zeilen door de
blauwe zee snijden. Met één hand zou hij het roer vast-
houden, terwijl zijn andere hand losjes op de schouder
van het mooiste meisje van de wereld zou rusten, want
voor geld is alles te koop. Glimlachend staarde hij voor
zich uit.
Awena keek niet meer of er diamantjes in haar zeef
achtergebleven waren. Daar had ze geen tijd voor, want in
haar gedachten liet ze de ene prachtige jurk na de andere
over haar schouders glijden. Ze kon geen keuze maken,
dus kocht ze de hele winkel leeg. Geld genoeg.
'Heb je de diamant nog?' vroeg Sami elk uur van de dag.
Awena werd er chagrijnig van. 'Natuurlijk heb ik hem nog.
Je vertrouwt me toch wel?'
'Laat hem nog eens zien?' vroeg Dongso op zijn beurt.
'Waarom?'
'Zomaar.'
Met een zucht toverde Awena de diamant te voorschijn.
Het leek of hij nog feller schitterde dan toen ze hem
vond.

De volgende dag mocht Sami de steen bewaren, zoals ze hadden afgesproken. Dongso hield hem scherp in de gaten. Toen Sami even de groeve uitliep om te plassen, moest Dongso ineens ook nodig. Hun hoofden waren vol van de diamant. Ze keken elkaar niet eens meer aan. Er was geen plaats meer voor gezellig praten en samen lachen. Een kleine, stille oorlog was tussen hen uitgebroken, maar ze hadden er amper weet van.

De dag dat de handelaar langs zou komen, had Dongso de diamant in zijn bezit. Sami verloor hem geen seconde uit het oog, hij volgde hem als een schaduw. Het liep zo in de gaten dat Awena gedwongen werd er iets van te zeggen: 'Jouw vriend zal je heus niet bedriegen, Sami, je kent hem al zolang.'
'Natuurlijk niet,' antwoordde Sami, 'maar dit is een bijzondere situatie. Je weet nooit wat een mens dan doet. Ik bescherm Dongso tegen zichzelf.'
Awena lachte spottend. 'Mooie praatjes verkoop jij. Ik zal blij zijn als die handelaar de steen meeneemt. Ik zie ervan komen dat we ruzie krijgen.'
'Ach meid, overdrijf niet!' riep Sami.
Met een ruk draaide Dongso zich om. 'Let op je woorden, Sami, zo praat je niet tegen mijn vriendin.'

'Let jij maar op onze diamant. Waar is hij, trouwens?'
Dongso trok het zakje, dat zwaar om zijn nek hing open
en hield de glinstersteen plagerig voor zijn gezicht. 'Hier
is je diamantje, Sami. Pak hem dan als je kan?'
Sami stak zijn hand uit, maar Dongso was hem te vlug af.
'Mispoes. Je krijgt nog een kans.'
Weer probeerde Sami de diamant te pakken, maar nu gooide Dongso hem naar Awena. Lachend ving zij hem op,
maar haar glimlach smolt van haar gezicht, toen zij Sami
met gebalde vuisten op Dongso af zag komen. Sami haalde uit en Dongso voelde een scherpe pijn tussen zijn
ogen. Weer een stomp. Dongso proefde bloed, langzaam
zakte hij door zijn knieën. Sami sprong bovenop hem.
Vechtend rolden de twee jongens door het zand van de
groeve.
'Zijn jullie helemaal gek geworden?' schreeuwde Awena
half huilend. Ze begon aan de kleren van haar twee vrienden te trekken. 'Hou op! Hou op, alsjeblieft!'
De andere diamantzoekers kwamen om Sami en Dongso
heen staan. Het werk in de groeve was zo saai en zwaar
dat zo'n vechtpartijtje een welkome afwisseling was. Ze
begonnen de jongens aan te moedigen.
'Laat ze ermee ophouden! Ze vermoorden elkaar nog!' gilde Awena. Niemand reageerde.

Plotseling klonk een stem boven het rumoer uit. 'De handelaar! De handelaar!'

Dat was het toverwoord.

Meteen was de aandacht voor de vechtpartij verdwenen. Iedereen rende naar de rijk geklede heer die bij de ingang van de groeve stond te wachten met zijn handen in zijn zij. Hij had klinkende munt en ritselend papiergeld bij zich, daarom hoefde hij geen stap méér te doen dan nodig was.

'Ik gooi onze diamant weg als jullie niet stoppen!' schreeuwde Awena. Ze maakte aanstalten haar dreigement uit te voeren.

'Nee!'

Dongso en Sami krabbelden overeind. Awena liet de diamant aan Sami zien. 'Jij wilde hem toch zo graag hebben?'

Sami schudde zijn hoofd. Hij schaamde zich zo erg dat hij Awena niet aan durfde te kijken.

'Pak jij hem aan, Dongso?'

Dongso ging met het puntje van zijn tong langs zijn gescheurde lip. Hij bleef hardnekkig naar de grond staren. Ze wachtten tot alle andere diamantzoekers met de handelaar afgerekend hadden. Toen vroegen ze hem zacht mee te komen. In een hoek van de groeve waar niemand hen kon zien, draaide Awena de steen voor de ogen van de handelaar rond. 'Hoeveel?'

De handelaar greep naar de diamant, maar Awena trok zijn hand terug.

'Hoeveel?'

'Dat weet ik nog niet, ik moet hem eerst onderzoeken,' antwoordde de handelaar.

Awena overhandigde hem de diamant. De handelaar pakte een vergrootglas en bekeek hem van alle kanten. Daar had hij veel kostbare tijd voor nodig.

'Hoeveel?' vroeg Awena weer.

'Niets,' antwoordde de handelaar, terwijl hij de diamant teruggaf.

'Niets?'

'Niets.'

'Maar... maar waarom wilt u hem niet kopen?'

'Ik ben een eerlijke koopman, nooit van mijn leven heb ik iemand bedrogen. Al verkoop ik mijn hele bezit, dan zou ik nog geen geld genoeg hebben om jullie diamant te betalen.'

'We zijn tevreden met het geld dat u nu heeft,' zei Dongso.

'Jullie snappen me niet. Als ik deze diamant in mijn bezit heb, kan ik hem toch niet verkopen. Of de mensen denken

dat ik hem gestolen heb, óf ze denken dat hij vals is.
Jullie diamant is te groot voor onze wereld.'
'Wat... wat moeten we er dan mee doen?' vroeg Dongso.
De handelaar haalde zijn schouders op. 'Hij is te groot

voor onze wereld,' mompelde hij en liep hoofdschuddend weg. De drie vrienden liet hij ontgoocheld achter. Hun rijkdom had een paar dagen geduurd. Nu waren alle dromen vervlogen. Hun diamant was veranderd in een waardeloze steen. Hij leek nog krachtiger te stralen dan voorheen. Of verbeeldden zij zich dat?

's Avonds zaten ze voor het huis van Dongso. Ze wisten alledrie dat er iets gezegd moest worden, maar niemand kon een begin maken. Awena zuchtte, Sami zuchtte diep en Dongso die altijd al de langste adem had gehad, zuchtte nog dieper.

Geen paleis, geen park, geen meer. Ik zal mijn nagels zelf moeten verzorgen, dacht Dongso. Hij staarde naar de rouwranden en haalde zijn schouders op: ze zijn schoon genoeg.

Geen zeilboot met bolle zeilen, dacht Sami en het mooiste meisje van de wereld kan ik ook vergeten. Ach, misschien was ze voor geld toch niet te koop geweest, echte liefde zit in je hart.

Ik zal mezelf nooit kunnen bewonderen in mooie kleren, dacht Awena. Maar wat geeft het ook, ik kan toch geen keuze maken.

Plotseling sprong Dongso op. 'We zijn toch vrienden?'

Verbaasd keken Awena en Sami hem aan. 'Natuurlijk.'
'Hebben jullie gemerkt wat er de laatste dagen met ons
gebeurd is? Heb jij nog gelachen, Awena?'
'Nee.'
'Voor het eerst in ons leven hebben wij gevochten, Sami.'
'Ja.'
Dongso haalde de diamant tevoorschijn. 'Dat is zíjn
schuld, hij moet weg, anders kunnen we elkaar nooit meer
recht in de ogen kijken.'
Awena en Sami knikten.
'Weg ermee!' riep Dongso. Hij nam de diamant tussen
duim en wijsvinger, veerde zijn arm naar achteren en
gooide hem met alle kracht, nee, met meer kracht die in
hem zat van zich af.
De diamant maakte geen boog zoals ze verwacht hadden,
maar schoot hoog de lucht in. Hij kreeg een lange, witte
glinsterstaart als een vallende ster. Maar deze ster viel
niet. Zij drong verder door in de zwarte nacht. Drie paar
ogen volgden haar, totdat zij haar plaats gevonden had
en hoog aan de hemel stilstond. Daar begon de diamant
te stralen zoals nooit tevoren.
'Dat jij sterk was, wist ik,' zei Sami, 'maar zo sterk...?'
'Wist ik ook niet,' antwoordde Dongso, 'de kracht zat zeker
in de diamant zelf.'

'Onze diamant,' fluisterde Awena. 'Als je een vallende ster ziet, mag je een wens doen. Kan dat nu ook?'

'Onze wens is al vervuld,' antwoordde Dongso. Hij sloeg zijn ene arm om zijn vriendin en de andere om zijn vriend. 'Elke avond zullen we onze diamant zien stralen, ongrijpbaar ver weg. De handelaar had gelijk. De diamant is te groot voor onze wereld, maar er is plaats genoeg voor onze vriendschap.' ◗

2 *Ergens in Nederland*
De derde ballon is voor Ingrid

'Mama, ik wil een beugel!' roept Ingrid. De deur valt met
een klap achter haar dicht. Met een verschrikt gezicht
draait haar moeder zich om. Ze laat de borden die ze in
haar handen heeft bijna los.
'Wat zeg je?'
'Ik wil een buitenbeugel, want mijn tanden staan veel te
ver naar voren. Ik lijk op een aftands konijn.'
'Wie zegt dat?'
'Ik. Dat hoor je toch?'
'Je bent vorige week nog op controle geweest bij de tand-
arts. Hij heeft het niet over een beugel gehad.'
'Het liefst wil ik zo'n glimmende buitenbeugel,' fluistert
Ingrid, 'dan zoek ik een blauwe uit.'
Moeder laat zich op een stoel zakken. 'Ik snap er niks
van,' zucht ze. 'Alle kinderen griezelen bij het idee van

een beugel en mijn dochter wil er per se één hebben.'
Ingrid gaat tegenover haar zitten. Ze trekt haar lippen
van elkaar en wijst naar haar tanden.
'Doe niet zo eng,' griezelt moeder, 'zo ben je inderdaad
lelijk, je lijkt op een hinnikend paard.'
'De tandarts heeft het mis,' zegt Ingrid. 'Ik maak een af-
spraak met de orthodontist in het ziekenhuis. Hij zal
meteen zien dat ik hoognodig een beugel moet dragen.
Annemarie en Tessa hebben er ook één.'
Moeder knikt langzaam. 'Nu begrijp ik het: jouw twee beste vriendinnen hebben een beugel. En nu wil jij...'
'Dat is niet waar,' onderbreekt Ingrid haar. 'Mijn tanden
groeien mijn bek uit, ik word steeds lelijker.'
'Let een beetje op je woorden, Ingrid,' waarschuwt moe-
der, 'anders plak ik je mond dicht. Dan heb je geen beugel
meer nodig.'
'Als straks geen enkele jongen met mij uit wil, is het jouw
schuld!' roept Ingrid, terwijl ze opstaat en wegrent.
'Waar ga je heen?' vraagt moeder.
'Naar mijn kamer. Ik durf me niet meer te laten zien. Ik
word klui... eh...'
'Klui?'
Ingrid draait zich om. 'Nou, hoe heet zo iemand die alleen
en onverzorgd in een grot woont?'

'Kluizenaar,' antwoordt moeder. 'Dat kun je het beste worden, ja. Ik heb inderdaad nog nooit een kluizenaar met een buitenbeugel gezien.'

Op haar kamer zet Ingrid de radio keihard aan. Het was zo'n goed idee van Annemarie, Tessa en haarzelf. Ze zouden een meidengroepje oprichten met de naam 'De beugelbekkies'. Annemarie had zelfs al hun eerste tophit geschreven. Het probleem was dat Ingrid geen beugelbekkie had. Daar wil ze snel wat aan doen, maar haar moeder ligt dwars, zoals gewoonlijk.
Ingrid staart naar buiten. Van schrik slaat zij haar hand voor haar mond. Tegen het glas gedrukt hangt een enorme groene ballon. De ballon stijgt een stukje, zodat Ingrid het boek ziet. Voorzichtig opent ze het raam en trekt het boek naar zich toe. Ze gaat in bed liggen, knipt haar lampje aan en begint te lezen. Terwijl Ingrid leest, houdt de ballon zacht wiegend de wacht.

Een sprookje uit Indonesië

Wat ben jij lelijk, zeg!

Sultan Abrim de Derde had een zoon. Eentje maar, en dat

vond hij meer dan genoeg ook, want door een rare speling van de natuur was de zoon van de sultan verschrikkelijk lelijk. De sultan zelf was de knapste man van de wereld. Dat beweerden tenminste de dienaren, soldaten en onderdanen nadrukkelijk als hij erom vroeg. Hij snapte dus niet hoe hij aan zo'n afschuwelijk lelijke zoon kwam.

Arimba, zo heette de zoon van sultan Abrim de Derde, groeide op tot een flinke jongeman. Hij had een prachtige stem, die helemaal niet bij zijn uiterlijk paste. Als hij zong, stopten zelfs de vogels in de paleistuin met fluiten en zaten ze aandachtig te luisteren. Daar konden ze nog wat van leren!

Arimba wist niet dat hij zo lelijk was, want zijn vader had alle spiegels in het paleis laten weghalen. Zo kon zijn zoon zichzelf nooit zien. Ook had sultan Abrim de Derde iedereen aan het hof bevolen dat ze Arimba elke dag moesten verzekeren dat hij een knappe jongeman was, bijna net zo knap als zijn vader. Dat gebeurde ook. Maar toen Arimba op een dag zichzelf weerspiegeld zag in een van de gouden paleisdeuren die pas gepoetst waren, gilde hij het uit van afschuw.

'Wie is dat?' riep hij met overslaande stem.

'Dat ben ik, hoogheid,' antwoordde een dienaar die toevallig passeerde, 'ik ben helaas moeders mooiste niet.'

Verder deed hij er wijselijk het zwijgen toe, maar toen
Arimba zijn spiegelbeeld dezelfde bewegingen zag maken,
wist hij dat zijn vader en zijn personeel hem jarenlang
voor de gek gehouden hadden. Hij huilde van verdriet.
Niet alleen omdat hij zichzelf lelijk vond, maar ook omdat
niemand hem blijkbaar wilde zien zoals hij was.
Natuurlijk was er geen enkel meisje te vinden dat met
Arimba wilde trouwen. Zijn vader nodigde de knapste
meisjes van het land uit zich aan het hof te komen voor-
stellen. Hij had veel geld over voor een huwelijk, maar de
glans van klinkende munt verdween als de meisjes Arimba
zagen.
'Hij is zo lelijk dat zelfs de nacht ervan verbleekt,' fluisterde een van hen.
'Maar hij heeft een mooie stem,' zei een ander.
'Je trouwt toch niet met een stem alleen?'
Giechelend achter hun hand verdwenen de meisjes uit het
paleis, vanaf een van de torens bedroefd nagestaard door
Arimba.
Toen het sultan Abrim de Derde niet lukte een vrouw voor
hem te vinden, vond Arimba dat het tijd was uit het
paleis te verdwijnen en zijn geluk ergens anders te zoe-
ken.
'Je bent inderdaad oud en lelijk... eh... wijs genoeg om je

eigen weg te gaan, Arimba,' zei sultan Abrim de Derde,
terwijl hij een vluchtige kus op het voorhoofd van zijn
zoon drukte.
Arimba ging. Hij was verdrietig, maar hij ging. In het
paleis was er toch niemand die iets voor hem kon doen.

In een verwaarloosde uithoek van de paleistuin woonde
een oude kluizenaar. Arimba had in de keuken van het
paleis horen fluisteren dat die grijsaard over bijzondere
gaven beschikte. 'Het is een soort tovenaar,' zei de kok
die hem weleens een kom soep en een stuk brood bracht.
Misschien kan die kluizenaar ervoor zorgen dat ik knap
word, dacht Arimba. Voor ik mijn eigen weg zoek, ga ik
naar hem toe.

De kluizenaar keek Arimba lang aan en zei toen: 'Je bent
niet zo lelijk als ik verwacht had. Het is geen gezicht
natuurlijk, maar bij nader inzien valt het mee.'
'Is dat alles?' vroeg Arimba.
'Bijna,' antwoordde de kluizenaar. 'Ik kan je een spreuk
leren waarmee je jezelf in een dier kunt veranderen.'
'Maar ik wil geen beest zijn. Ik wil knap worden!'
'Dat gaat helaas niet. Ik kan je niet van een mens in een
mens veranderen. Dat is geen toveren. Snap je?'

32

Arimba knikte. 'Leer mij die spreuk maar. Dan ben ik in
ieder geval niet voor niks gekomen.'
De kluizenaar deed het. Het was een moeilijke spreuk,
maar Arimba had er de juiste stem voor. Op het laatst kon
hij de toverwoorden vloeiend zingen.
'Je mag nooit gedwóngen worden de spreuk te gebruiken,'
waarschuwde de kluizenaar Arimba bij het afscheid, 'dat
brengt ongeluk.'

Maandenlang zwierf Arimba door het land. Overdag sliep
hij en 's nachts ging hij op pad, zodat niemand zijn lelijk-
heid hoefde te zien en hij zich niet hoefde te schamen.
Hij had zijn eigen weg nog niet gevonden, maar dat gaat
ook erg moeilijk in het donker.
Op een nacht kwam Arimba bij een prachtig park. Zelfs in
het zwakke maanlicht zag hij dat de bloemen en planten
goed verzorgd werden. In de verte was een lichtje en toen
hij dichterbij sloop, zag hij een prachtig meisje op het
balkon van een voornaam huis staan. Ze staarde naar de
maan en leek bedroefd.
Arimba liep naar het balkon en begon te zingen. Zijn heldere stem jubelde door het park en het meisje zocht naar
de jongeman die zo prachtig zong. Ze vergat meteen
waarom ze bedroefd was, omdat ze op het eerste gehoor

verliefd werd op die bekoorlijke stem.

'Waar ben je, stem?' riep ze toen het lied uit was.

Arimba sloop het donkere park weer in, zodat het meisje zelfs geen glimp van hem kon opvangen.

'Kom morgenochtend naar me toe. Ik wil met je trouwen,' riep het meisje. 'Het interesseert me niet hoe je eruitziet, want ik ben smoorverliefd op je stem.'

Arimba's hart sloeg op hol van vreugde. 'Ik zal er zijn,' zong hij.

Voor Arimba duurde het veel te lang voordat de zon opkwam. Toen ze eindelijk haar eerste stralen door het park zond, was de zoon van sultan Abrim de Derde er ook. Hij wachtte urenlang. Als het meisje komt, ga ik meteen zingen, dacht hij. Maar toen de deur van het huis eindelijk geopend werd en het meisje verscheen, kon Arimba van de zenuwen geen noot door zijn keel krijgen. Het meisje schrok dan ook vreselijk toen ze hem zag en sloeg haar handen voor haar ogen. 'Wat ben jij lélijk, zeg!'

'Mijn... mijn uiterlijk was toch niet belangrijk?' stamelde Arimba. 'Je bent toch verliefd op mijn stem?'

'Ik dacht dat bij een mooie stem ook een mooi lichaam zou horen,' zei het meisje. 'Ik trouw nog liever met een tijger dan met jou.'

'Dat kan,' zei Arimba. Hij zong de toverspreuk die hij van de kluizenaar geleerd had en werd een woeste koningstijger. Het beest ontblootte zijn tanden, brulde en kwam dreigend op het meisje af.

'Verander alsjeblieft weer gauw in een mens. Ik trouw toch met je!' riep ze met een hese stem van angst.

Arimba werd weer zichzelf. Het meisje durfde hem niet aan te kijken. Ze had direct spijt van haar belofte en piekerde hoe ze van die lelijke jongeman af zou kunnen komen.

'Wanneer trouwen we?' vroeg Arimba.

Achter de ogen van het meisje groeide een gemeen plannetje. 'Voordat ik met je trouw, moet je je nog een keer in een dier veranderen,' zei ze.

'Waarom?'

'Ik wil nog één keer genieten van jouw gezongen toverspreuk,' antwoordde het meisje. 'Ik werd helemaal warm van die prachtige melodie.'

Arimba schudde zijn hoofd. 'Ik wil alle liedjes van de wereld voor je zingen, maar de toverspreuk kan ik je niet meer laten horen.'

'Waarom niet?'

'Ik mag me niet laten dwingen.'

Het meisje stampvoette. 'Ik dwing je niet. Je móet het

gewoon doen, anders trouw ik niet met je! Je hebt geen keus, lelijkerd!'

'Juist, ik heb geen keus,' fluisterde Arimba. Plotseling kreeg hij het gevoel dat hij nóóit zijn eigen weg zou vinden. Of hij nu met dit meisje trouwde of met een ander, gelukkig zou hij nooit worden. Moest hij daarmee leren leven?

Het antwoord had hij snel gevonden.

'Welk dier moet ik worden?' vroeg hij.

'Een spin,' antwoordde het meisje.

Arimba zong de toverspreuk zo fraai als hij kon en werd een kruisspin. Het meisje lachte kort en hief haar voet op om de spin te verpletteren. Maar toen gebeurde het ongeluk waar de kluizenaar Arimba voor gewaarschuwd had. Waarom kan ik mijn been niet meer naar beneden krijgen? vroeg het meisje zich eerst verbaasd af. Waarom zit er geen gevoel meer in? Waarom kraken mijn vingers als ik ze beweeg? Ze raakte in paniek en wilde wegrennen, maar ze kon niet meer van haar plaats komen. Langzaam werd haar huid zo hard als steen en zo grijs als beton. Ze werd een beeld, een beeld van een meisje, van een mooi meisje. Eén keer gilde ze nog. Het ging door merg en been. Toen versteenden ook haar lippen.

Het beeld was klaar. Het stond in de schaduw van de

bomen, alsof het daar altijd gestaan had.

Arimba had het allemaal gezien. Hij besloot een kruisspin te blijven en het beeldschone meisje gezelschap te houden. Tussen haar hals en haar schouder weefde hij een web en onder haar oksel ging hij rustig op zijn prooi zitten wachten.

In de loop van de tijd kwamen er veel wandelaars in het park.

'Wat een mooi beeld!' zeiden de mensen, terwijl ze om het meisje heen liepen. 'Wie heeft dit kunstwerk gemaakt?'

'En wat een prachtig web heeft die spin gemaakt!' riepen de kinderen naar elkaar. 'Kijk, er hangen dauwdruppeltjes aan. Net een parelsnoer.'

Dan kroop Arimba te voorschijn. En altijd gebeurde hetzelfde: de kinderen renden angstig naar hun ouders toe, maar ze kwamen schoorvoetend terug om de kruisspin te bewonderen. Op die momenten voelde Arimba zich volmaakt gelukkig. Hij zou wel willen zingen van vreugde. Maar ja, van spinnen wordt verwacht dat ze hun mond houden.

Op een dag kwam ook sultan Abrim de Derde in het park. Hij was oud geworden. Diep in zijn hart had hij er spijt van dat hij zijn zoon had laten gaan. Ook hij kwam bij het beeld en de spin Arimba. Wat een knap meisje, zuchtte hij, met zo'n meisje had mijn zoon kunnen trouwen, als hij niet zo lelijk geweest was.

Weer zuchtte hij. Met zijn hand raakte hij per ongeluk het web aan. Prooi! dacht Arimba en kroop onder de oksel van het meisje vandaan. Hij zag zijn vader. Met het laatste restje menselijke stem dat hij nog had, begon hij te zingen: 'Ik heb mijn weg gevonden, vader.'

De oude sultan geloofde zijn oren niet. 'Wie zong daar? Arimba?' Hij zag alleen een kruisspin in het midden van zijn web zitten.

Weer hoorde hij: 'Ik heb mijn weg gevonden, vader.'

'Ben jij het, Arimba?'

'Ja vader.'

'Hoe komt het dat jij een spin geworden bent?'

'Dat is een te lang verhaal, vader.'

'Kun je niet gewoon weer jezelf worden, zoonlief?'

'Nee. Ik heb mijn eigen weg gevonden, vader.'

Toen was Arimba zijn stem kwijt. Hij was voorgoed in een spin veranderd.

Sultan Abrim de Derde liet het beeld met de spin voorzichtig naar de paleistuin brengen. Elke middag ging hij op het bankje zitten dat hij bij het beeld had laten maken. Hij vertelde de spin Arimba over zijn zorgen en wat hij verder nog op zijn oude hart had.

Op een dag kwam de kluizenaar naast de sultan zitten. Abrim de Derde wees met een trillende vinger naar de kruisspin en zei: 'Dit is mijn zoon Arimba. Is hij niet mooi?'

De kluizenaar knikte.

'Hij kan prachtig zingen,' fluisterde de sultan.

De kluizenaar sloeg zijn arm om hem heen, hij leefde met hem mee. Nog behoorlijk lang en zo gelukkig als nog mogelijk was. ♠

3 *Ergens in Nederland*
De vierde ballon is voor Niek

'Opschieten, Niek!' De stem van de badmeester galmt door het overdekte zwembad. De kinderen die om hem heen staan, schrikken ervan. Alleen het blauwe water van het diepe bad trekt er zich niets van aan. Dat ligt stil te wachten op de kinderen die hun baantjes komen trekken. Bibberend komt Niek uit het kleedhok. Hij voelt zich verschrikkelijk klein, want vandaag moeten ze weer onderwater zwemmen. Hij heeft die zeven meter nooit gehaald. Vandaag zal het hem ook niet lukken. Dat weet hij zeker. Hij krijgt al ademnood als hij eraan denkt.
'Ben je daar eindelijk?' vraagt de badmeester. 'Ik dacht even dat je bang voor water was.' Hij pakt Niek beet en gooit hem in het water. Niek gilt, de kinderen lachen en joelen.
'Duik Niek maar achterna, jongens,' zegt de badmeester.

'Vijf minuten vrij zwemmen, daarna... onderwater. Dus bewaar wat lucht.'

Proestend komt Niek weer boven. Hij heeft de laatste woorden van de badmeester opgevangen. Nu even rustig zwemmen, denkt hij, dan heb ik straks meer dan genoeg lucht over. Kalm blijven, kalm blijven.

De kinderen staan weer aan de kant. 'Ga snel in een rij staan!' commandeert de badmeester. Niek is de laatste van de rij. Dat wil hij zelf. Nu heeft hij nog even de kans rustig en diep adem te halen om zijn longen goed te vullen. De badmeester gaat aan het andere eind van het diepe bad staan. Hij wijst in het water. 'Hier mogen jullie pas boven komen. Begrepen?'

De kinderen knikken niet eens meer. Ze hebben dit al zo vaak gehoord. Voor Niek lijkt het alsof de badmeester steeds verder weg gaat staan.

'De eerste!'

Lars, die vooraan staat, duikt in het water. Hij haalt de zeven meter met gemak. Jaloers kijkt Niek hem na.

'De tweede!'

'De derde!'

Niek zucht. Hij voelt zijn benen slap worden van de zenuwen.

'De vierde!'

'De vijfde!'

'De zesde!'

Niek voelt dat hij moet plassen. Maar hij kan nu niet weggaan, want hij is aan de beurt.

'De laatste! Zet 'm op, Niek!'

Niek zuigt zijn longen vol lucht en springt. De eerste meters gaan goed. Die gaan bij iedereen goed, denkt hij. Volhouden. Volhouden. Kom op! Nee, ik kom lucht tekort. Ik stik. Help, ik stik! Ik moet naar boven, naar boven. Wat duurt dat lang. Ik red het nooit. Ik wil weer ademhalen. Nu!

Te vroeg!

Als Niek hoestend en proestend boven het wateroppervlak uitkomt, ziet hij dat hij iets meer dan de helft afgelegd heeft. De badmeester lijkt onbereikbaar ver weg. Zwijgend schudt hij zijn hoofd.

De zwemles is afgelopen.

'Aanstaande zaterdag halen jullie allemaal je diploma, jongens,' zegt de badmeester.

Iedereen juicht, behalve Niek.

De badmeester ziet het. 'Misschien moet jij even wachten, Niek,' zegt hij, 'jij bent er nog niet echt klaar voor.'

Niek knikt. Zonder dat hij er iets over te zeggen heeft,
verschijnen er tranen in zijn ogen.
'Je mag wel meedoen als je wilt,' gaat de badmeester vlug
verder, 'alleen het onderwater zwemmen gaat niet, de
andere onderdelen haal je zeker.'
Niek knikt weer.
'Om het diploma te krijgen, hoef je dan alleen nog maar
die zeven meter onderwater te zwemmen. Dat onderdeel
kun je een andere keer doen, als je wat meer geoefend
hebt. Het moet toch eens lukken?'
Niek blijft knikken, terwijl hij op zijn onderlip bijt.

Als Niek thuis is, rent hij meteen naar zijn slaapkamer. Hij
opent zijn rugzak, vist zijn zwembroek eruit en smijt het
kletsnatte kledingstuk tegen het raam. Zo, daar had hij
even zin in. De zwembroek glijdt over het glas naar beneden en blijft op de vensterbank liggen druppelen. Niek
loopt ernaartoe. Van schrik houdt hij zijn adem in. Tegen
het glas gedrukt hangt een enorme ballon. De ballon
stijgt een stukje, zodat Niek het boek ziet. Voorzichtig
opent hij het raam en trekt het boek naar zich toe. Hij
gaat in bed liggen, knipt zijn lampje aan en begint te
lezen. Terwijl Niek leest, houdt de ballon zacht wiegend
de wacht.

Een sprookje uit Indonesië

Het meisje in de maan

Na de vliegende storm was de ravage in het kleine haventje enorm. Joena, zijn vader en de andere dorpsbewoners stonden aan het strand bij de resten van hun vissersboten. Ze zwegen. Er viel niets te zeggen. De gescheurde zeilen, de geknakte masten en de kapotgeslagen rompen vertelden het verhaal van de wind die 's nachts vreselijk tekeergegaan was. Hoewel de vissers hun boten ver op het strand getrokken hadden, waren ze toch een gemakkelijke prooi voor de storm geweest.

De zee was nu weer kalm. Rolgolfjes spoelden plagerig over de blote voeten van Joena, maar hij had nu geen zin om te spelen. Hij dacht aan de honger die zou komen, want ze konden niet meer gaan vissen.

Geen vis, geen geld.

Geen geld, geen eten.

Geen eten, geen leven.

Geen leven... er trok een koude rilling langs de rug van Joena.

'Het worden slechte tijden,' hoorde hij plotseling achter zich. Hij draaide zich om. Het was zijn buurman Soeng.

'Alle boten zijn vernield,' ging Soeng verder, 'niemand kan meer gaan vissen. Het is met ons gedaan!' Die laatste woorden kwamen er met een snik uit.

De vader van Joena liep naar Soeng toe en sloeg zijn arm om hem heen. 'We leven nog, Soeng.'

'Dat is het enige!' riep Soeng. 'Hoelang houden we het vol?'

'We hebben nog een voorraad rijst en gedroogde vis,' antwoordde de vader van Joena. 'Als we er allemaal zuinig mee zijn, hebben we minstens nog een paar weken te eten.'

'En dan?'

De vader van Joena haalde zijn schouders op. 'Misschien kunnen we een van de boten repareren.'

Soeng schopte tegen een paar planken. 'Repareren? Die troep is alleen geschikt als brandhout!'

Joena wist dat Soeng altijd alles somber inzag, maar deze keer had zijn buurman gelijk. Hij zag aan de gezichten van de andere vissers dat ze het wel met hem eens moesten zijn.

'We... we kunnen toch vlotten maken van het hout van de boten?' vroeg hij, eigenlijk tegen beter weten in.

Soeng lachte kort. 'Als je met een vlot de zee opgaat, breng je je leven in gevaar. Je slaat binnen de kortste keren te pletter tegen de rotsen van het eiland Somoran. Misschien is dat wel het beste,' fluisterde hij toen, 'snel verdrinken is beter dan langzaam sterven van de honger.'

's Nachts lag Joena op zijn bamboematje stil te luisteren naar de zee. Hij sloot zijn ogen en hoorde het water over het strand spoelen. Hij wilde snel inslapen, want dan voelde hij zijn lege maag niet. En meedeinen met de golf-slag hielp...
Plotseling schrok Joena wakker. Hij hoorde iemand zin-gen, een meisje zong een lied. Haar stem klonk zo helder als het water van de zee. Haar melodie kwam van ver, maar klonk hem vertrouwd in de oren. Joena stond op. In de vollemaansnacht liep hij naar het strand. Vanuit de vissershutjes klonken de bekende geluiden van slapende mensen. Hij scheen de enige te zijn die het meisje had horen zingen. Hij hoorde haar lied nog steeds. Of zong hij het zelf in zijn hoofd?
Joena stond op het natte strand en tuurde over de zee. Daar waar het water en de maan elkaar bijna raakten, zag hij de gedaante van een meisje. Ze was gehuld in witte sluiers. Langzaam zweefde ze naar hem toe. De sluiers golfden achter haar aan. Haar lange witte haren deinden mee. Toen hoorde Joena ook de woorden die ze zong:

'Wie brengt me een bloem,
een bloem voor in mijn haar?
Ik vervul elke wens
voor een bloem in mijn haar.
Reken maar!'

Toen het meisje voor Joena stond, keek ze hem uitdagend
aan. Ze is knap, dacht Joena. 'Wie ben jij?' vroeg hij.
'Eerst jij,' zei het meisje.
'Ik ben Joena.'
'Ik ben het meisje in de maan.'
'Jij kunt mooi zingen,' zei Joena. Hij kreeg er een kleur
van.
'Dank je.'
'Meen je wat je zingt?' vroeg Joena.
'Anders zou ik het niet zingen.'
'Dus jij vervult iedere wens voor een bloem in je haar?'
vroeg Joena met een ongelovig gezicht.
'Iedere wens, en nog meer.'
'Dat komt goed uit,' riep Joena, 'want ik heb een heleboel
te wensen. Waarom is een bloem in je haar zo belangrijk
voor je, meisje in de maan?'
'De maan is wit en ik ben ook altijd in het wit gekleed.
Het lijkt me fantastisch om een kleurrijke bloem in mijn

haar te dragen: een rode of een blauwe, een groene of een oranje, een paarse of een...'

'Ik geef je elke kleur die je wenst,' onderbrak Joena haar, 'wacht hier even, ik ben zo terug.'

Hij rende weg.

'Die bloem moet je plukken op het eiland Somoran!' riep het meisje in de maan hem na.

Langzaam draaide Joena zich om. 'Het eiland Somoran? Hoe moet ik daar komen? De storm heeft alle vissersboten vernield.'

'Dat is jouw probleem, Joena.'

'Wat is er zo bijzonder aan de bloemen op het eiland Somoran?'

'Ze verwelken nooit.'

'Ik kan er nooit van mijn leven komen.'

'Ze verwelken nooit.'

'Hoe moet ik er ooit komen?'

Het meisje in de maan zweefde weg, terwijl ze zong:

'Wie brengt me een bloem,
een bloem voor in mijn haar?
Ik vervul elke wens
voor een bloem in mijn haar.
Reken maar!'

Joena keek haar na tot ze oploste in de volle maan. Met
gebogen hoofd slenterde hij naar het dorp terug.

Toen Joena de volgende ochtend wakker werd, stond de
zon al hoog aan de hemel. Meteen zat zijn ontmoeting
met het meisje in de maan weer in zijn hoofd. Haar liedje
ook, trouwens.
Na het ontbijt van een handvol gekookte witte rijst rende
hij naar het strand. De vissers waren bezig het wrakhout
te verzamelen. De planken werden in de zon te drogen
gelegd.
Joena sleepte ongezien een paar dikke, halfronde planken
mee naar een rotspunt die vanuit het strand in zee steekt.
Daarachter kon niemand hem bezig zien.
Hij legde de planken naast elkaar. Met behulp van enkele
meters touw en flink wat kilo's handigheid zette hij een
vlot in elkaar.
Je krijgt een bloem voor in je haar, meisje van de maan,
dacht hij, en ik doe mijn wens. Reken maar!
'Wat spook jij hier uit?' hoorde Joena achter zich toen hij
met de laatste plank bezig was.
Met een ruk draaide hij zich om. Hij keek recht in de ogen
van Rawena, in de mooie ogen van Rawena. Ze glimlachte
zo vriendelijk naar hem dat hij er verlegen van werd.

'Ik spook... eh... ik bouw een vlot,' antwoordde hij.

'Waarvoor?'

'Voor op zee.'

'Dat begrijp ik, maar waar wil je op dat vlot naartoe?'

'Dat is een geheim.'

Rawena hield haar hoofd schuin, zodat haar glanzende, zwarte haren geruisloos langs haar schouder vielen. 'Mag zelfs ik het niet weten, Joena?' fluisterde ze.

Joena schudde vastberaden zijn hoofd. 'Nee.'

'Ook niet de helft?'

Joena beet op zijn onderlip. Hij vond Rawena al maanden het aardigste meisje van het dorp. Ze was ook het knapste meisje van het dorp. Daarom wilde hij haar zeker niet teleurstellen.

'Je mag de helft weten, als je het tegen niemand vertelt,' zei hij.

'Beloofd.'

'Ik ga naar het eiland Somoran.'

'Op dat vlot? Dat kan nooit!' riep Rawena, 'je zult verdrinken!'

'Ik probeer het toch.'

'Wat moet je dan op Somoran gaan doen, Joena?'

'Dat is nou juist de andere helft van mijn geheim, dat zeg ik niet.'

Rawena zuchtte. 'Wees voorzichtig, Joena, ik zie je graag weer heelhuids terug.'

'Ik jou ook,' zei Joena, terwijl er een blos over zijn wangen golfde.

Tegen de avond was het vlot klaar. Joena wachtte tot het donker was, zodat niemand hem kon zien vertrekken. Toen duwde hij het gevaarte de zee in. De maan stond helder aan de hemel, een koel briesje trok rimpels in het water. Joena sprong op zijn vlot, pakte de roeispanen beet en peddelde weg.

Hij keek nog een keer om naar zijn dorpje. Op het strand zag hij een witte gedaante staan, het was Rawena. Ze zwaaide. Joena stak een roeispaan omhoog.

De eerste uren gingen rustig voorbij. Joena hoefde geen enkele moeite te doen zijn vlot op koers te houden. Maar toen de steile rotsen van Somoran voor hem opdoemden, veranderde plotseling alles. Donkere wolken gleden voor de maan. De wind stak op, dreef de golven voor zich uit, liet ze onder zijn vlot door duiken en eroverheen spoelen. Ze sloegen de roeispanen uit de knuisten van Joena. Hij ging languit op zijn vlot liggen en greep de planken vast. 'Help!' gilde hij, maar hij kwam niet boven het gieren van de wind uit. 'Help, ik verzuip!'

Toen de maan even zichtbaar werd, zag Joena het meisje
op zich af komen. Ze zweefde hoog boven de woeste golven en zong:

'Wie brengt me een bloem,
een bloem voor in mijn haar?
Ik vervul elke wens
voor een bloem in mijn haar.
Reken maar!'

'Hou op met zingen!' gilde Joena. 'Help me alsjeblieft!'
'Dat is een wens,' antwoordde het witgesluierde meisje,
'daar kan ik niet op ingaan. Ik vervul pas een wens als ik
een bloem voor in mijn haar krijg. Gelijk oversteken.'
'Maar ik verdrink!'
'Heb je een bloem?'
'Nee, maar...'
'Geen bloem voor in mijn haar? Dan hebben we elkaar
niets meer te zeggen.'
Het meisje draaide zich om en zweefde zingend weg tot in
de volle maan.
Joena keek haar woedend na. Wat een verschrikkelijke
meid! dacht hij. Maar ze moet niet denken dat ik me zo-
maar gewonnen geef. Hij ging wijdbeens op zijn vlot staan

en schreeuwde: 'Je krijgt je bloem, kreng in de maan!'
Het woedende water probeerde het vlot onder Joena's
voeten weg te slaan, maar de vissersjongen had ze stevig
neergezet. Het leek of hij ze aan de planken vastgelijmd
had.

Joena zakte een beetje door zijn knieën, dook met zijn
vlot van de ene golf af en sprong over de andere heen.
Soms reisde hij op het topje van een golf mee.
Schuimbekkend achtervolgde het water hem. De storm-
wind rukte aan zijn haren, zijn hemd en zijn broek, maar
toen de zon opkwam, had Joena zonder kleerscheuren de
kust van het eiland Somoran bereikt. Hij laveerde zijn
vlot langs de zwarte rotsen en draaide een baai in. Met
zijn laatste krachten trok hij zijn vaartuig op het schel-
penstrand. Daar viel hij uitgeput in slaap.

Joena werd pas wakker toen de maan weer volop aan de
hemel stond. Verbaasd keek hij om zich heen. Waar ben
ik? vroeg hij zich af.
Toen hij in het volle maanlicht zijn vlot zag liggen, wist
hij het weer. Ik moet een bloem plukken, dacht hij, maar
ik zie helemaal geen bloem!
Toen hoorde hij het meisje in de maan. Ze zong nog
steeds hetzelfde liedje:

'Wie brengt me een bloem,
een bloem voor in mijn haar?
Ik vervul elke wens
voor een bloem in mijn haar.
Reken maar!'

'Waar moet ik zoeken?' vroeg Joena toen het meisje vlak
voor hem stond.
'Overal,' antwoordde het meisje, 'zoeken kun je overal.
Maar vínden, dat is de kunst.'
Kreng! dacht Joena, gelukkig zijn niet alle meisjes zoals
jij, Rawena is veel aardiger.
Het meisje in de maan wees omhoog. 'Bovenop de top van
deze berg bloeit de bloem voor in mijn haar.'
Joena keek. Beschenen door het maanlicht doemde de
berg voor hem op. De wanden waren zo steil als een muur
en zo glad als het dek van een vissersboot.
'Daar kan ik nooit tegen opklimmen, in geen honderd jaar,'
zuchtte Joena.
'Dat is jouw probleem,' zei het meisje in de maan. Ze
draaide zich om en zweefde zingend weg.
Joena drukte zijn handen tegen zijn oren, hij wilde haar
liedje niet horen.

Een tijdlang staarde Joena naar de berg. Het leek of die rotswand steeds hoger en gladder werd. Als ik nou een stuk touw had, dacht Joena, dan kon ik die om een uitstekende rotspunt slingeren en mezelf omhoogtrekken, maar ik heb geen touw.

'Ik heb wel touw!' riep hij toen. 'Ik heb de planken van mijn vlot bij elkaar gebonden met touw!' Joena rende naar zijn vlot terug. Uren was hij bezig de harde knopen los te peuteren. Hij brak zijn nagels en hij schuurde zijn handen open, maar beetje bij beetje won hij touw.

Toen er van zijn vlot niets meer over was dan wat losse planken, had Joena touw genoeg. Hij rende het bergpad op en zocht een geschikte plaats om de berg te beklimmen. Aan één uitstekende rotspunt had hij genoeg. De maan hielp hem. Ze zette de berg in een helder wit licht. Daardoor ontdekte Joena een smalle richel die schuin omhoog liep naar de bergtop toe. Vlak onder die richel zat een spleet. Joena legde een dikke knoop in zijn touw, slingerde een paar keer en gooide. Mis! Weer probeerde hij het. Mis! Driemaal is scheepsrecht, dacht de vissersjongen, nóg een keer dus. Toen bleef de knoop in de spleet hangen.

Joena trok, zodat de knoop zich muurvast klemde, en klom tegen de bergwand omhoog. Het touw was door het

water sterker geworden, maar ook gladder. De eerste
meters gingen vlot, maar gaandeweg werd het moeilijker.
Joena kreeg spierpijn in zijn armen en jeuk op zijn neus.
Hij probeerde de jeuk te vergeten, maar dat lukt niet als
je er steeds aan moet denken. Hij kreeg een onbedwing-
bare neiging om te krabben. Met één hand liet Joena het
touw los. Zijn andere hand kon zijn volle gewicht niet
dragen en hij begon stukje bij beetje omlaag te glijden.
Vlug pakte hij het touw weer met beide handen beet,
maar hij kreeg geen houvast meer.
'Help me!' gilde hij, 'ik val te pletter!'
'Heb je de bloem voor in mijn haar?' hoorde hij achter
zich.
'Nee!'
'Dan kun je nog geen wens doen,' zei het meisje in de
maan. Hoe vaak moet ik je dat nog zeggen?'
'Maar je ziet toch dat ik val?'
'Je ziet toch dat ik nog geen bloem in mijn haar heb?'
'Nare meid!' riep Joena, 'Rawena is veel liever dan jij!'
Het meisje in de maan haalde haar schouders op en
zweefde weg. Joena beet op zijn tanden, plantte zijn voe-
ten schuin tegen de berghelling en zette zich af. Het
touw begon te slingeren.
Weer zette Joena zich af tegen de berghelling. De zwaai

van het touw werd groter.

Nog een keer duwde Joena met zijn voeten de berg weg.

Het touw zoefde rakelings langs de helling.

'Los!' riep Joena. 'Vast!'

Zijn handen grepen de rand van de richel beet. Je zult je bloem hebben, vollemaansmeid, dacht hij. En ik doe mijn wens. Reken maar!

Joena drukte zich op de richel. Voetje voor voetje schuifelde hij naar boven, naar de top van de berg. Toen de stralen van de zon langs de top scheerden, was Joena er ook. Buiten adem liet hij zich op de kale rotsen vallen en viel in slaap.

Joena sliep een gat in de dag. Pas toen de zon beleefd weer plaatsmaakte voor de maan, werd hij wakker. Ik moet een bloem plukken, dacht hij, bloem, waar ben je? Hij keek om zich heen. In het licht van de maan zag hij alleen grijze rotsen, geen kleurrijke bloemen. Wel hoorde hij het overbekende liedje:

'Wie brengt me een bloem,
een bloem voor in mijn haar?
Ik vervul elke wens
voor een bloem in mijn haar.

Reken maar!'

'Er zijn hier helemaal geen bloemen,' zuchtte Joena. Er sprongen tranen in zijn ogen, tranen van verdriet en woede. Alles is voor niks geweest, dacht hij, en dat is de schuld van die stomme vollemaansmeid!

'Je kijkt niet goed,' zei het meisje in de maan.

Joena stampte met zijn voet op de rotsbodem. 'Hierop kan toch nooit iets groeien?' huilde hij.

'Jawel, Joena,' fluisterde het meisje in de maan. Ze opende haar hand en liet er een wolk van piepkleine zwarte korreltjes uit vallen. Rondom Joena kwamen ze neer. Daar waar de rotsbodem nat was van zijn tranen veranderden ze voor zijn ogen in rode bloemetjes.

'Ik had nog wat maanzaad,' zei het meisje in de maan glimlachend, 'toevallig, hè?'

Joena staarde naar de bloemetjes. Ze knikten met hun kelkjes.

'Pluk ze maar, Joena.'

De vissersjongen liet zich op zijn knieën zakken en begon te plukken. Toen hij ze aan het meisje in de maan wilde geven, schudde ze langzaam met haar hoofd. 'Ze zijn prachtig, maar ik kan ze niet aannemen, Joena.'

'Maar dan kan ik geen wens doen?'

'Is dat eigenlijk nog wel nodig, Joena?'

'Ik wilde nieuwe vissersschepen wensen voor de vissers en een rijke visvangst en rustig visweer en boter bij de vis en...'

'Die bloemen moet je aan Rawena geven, ze is aardiger dan ik en liever en...' fluisterde het meisje in de maan.

'Dat meende ik niet!'

'Gelukkig meende je dat wel!'

'Hoe moet het nu verder?' zuchtte Joena.

'Ik weet het,' zei het meisje in de maan. 'Jij hebt een storm op zee overwonnen en jij hebt de hoogste berg op Somoran beklommen. Dan kun je toch ook vissen vangen met een vlot?'

Joena knikte. Het meisje in de maan heeft gelijk, dacht hij.

'Je moet de andere vissers van het dorp over jouw avontuur vertellen, Joena, dan zullen ze hun zelfvertrouwen terugkrijgen en met jou mee gaan vissen.'

Joena knikte. Ze heeft alweer gelijk, dacht hij.

Het meisje in de maan hielp Joena van de berg af en met het herbouwen van zijn vlot. Over een kalme zee voer de vissersjongen naar zijn dorp terug. Hij riep de vissers bij elkaar op het dorpsplein en vertelde van zijn tocht naar het eiland Somoran. Eerst geloofden de vissers hem niet,

maar toen ze tussen de planken van zijn vlot schelpen
van het strand van Somoran ontdekten, wisten ze dat
Joena de waarheid sprak.
'Als ik op een vlot naar Somoran kan varen!' riep Joena,
'dan kunnen we ook op vlotten vissen. Neem dát maar van
mij aan.'
De vissers knikten. 'We kunnen het proberen, maar ik heb
er niet veel vertrouwen in,' zei Soeng.
'Het moet lukken,' zei de vader van Joena.

'En deze bloemen zijn voor jou, Rawena,' fluisterde Joena,
'wil je ze van mij aannemen?'
'Ja, ik wil,' antwoordde Rawena zacht.
'Ze verwelken nooit,' zei Joena.
Rawena schudde haar hoofd. 'Dat geloof ik niet.'

Een paar dagen later voeren de vissers van het dorp weer
uit. Het viel hen op dat ze veel maanvissen vingen, veel
meer dan vroeger.
Het meisje in de maan had wat overdreven. De bloemen
verwelkten tóch, elke dag viel er een rood blaadje af.
Joena vond dat niet erg, want met elk dwarrelend blaadje
groeide zijn liefde voor Rawena.

'Wie brengt me een bloem,
een bloem voor in mijn haar?
Ik vervul elke wens
voor een bloem in mijn haar.
Reken maar!' 🔖

4 *Ergens in Nederland*

De vijfde ballon is voor Samira

'Jij bent vandaag aan de beurt om in de goal te staan,
Samira,' zegt de coach van het hockeyteam.
'Ik heb helemaal geen zin om keeper te zijn!' roept
Samira. Ze vindt het verschrikkelijk om in de goal te
staan, omdat je je dan zo dik in moet pakken: beenkappen, bodyprotector en handschoenen aan, helm op... en
ze heeft het al zo warm. Het is minstens 25 graden en de
zon lijkt gaten in het kunstgras van het veld te branden.
De coach kijkt nog een keer op zijn lijstje. 'Je moet wel,
Samira, want jij bent echt aan de beurt. Kijk maar.' Hij
houdt het lijstje onder haar neus. 'Trek snel je harnas aan,
Ineke helpt wel even.'
Samira weet dat ze er niet onderuit komt en na meer dan
tien minuten sjorren, trekken, knopen, zuchten en kreu-
nen, komt ze moeizaam overeind. Niemand ziet meer dat

ze eigenlijk een slank meisje is en al helemaal niet dat ze Samira is. De beschermende kleding heeft haar minstens twee keer zo dik gemaakt. Ze lijkt op een robot die weggelopen is uit de film Starwars, zelfs haar eigen ouders zouden haar niet herkennen. De zweetdruppels kruipen nu al over haar hele lijf en de wedstrijd is nog niet eens begonnen.

Samira steekt het veld over om bij haar goal te komen. De beenkappen zijn te groot, zodat ze wijdbeens moet lopen. Het lijkt of ze in haar broek geplast heeft. Door die gedachte krijgt ze het nog warmer.

Het fluitje van de scheidsrechter klinkt. Samira krijgt niet veel te doen, want haar team is veel sterker dan de tegenpartij. Het wordt al snel 3-0. Eén keer stopt Samira een strafcorner. De coach steekt zijn duim naar haar op. Samira ziet het door het tralievenster van haar helm. Ze zwaait met haar stick. Dan ontdekt ze de spin, het beest kruipt langs een spijltje van haar helm naar binnen. De wedstrijd schijnt hem niet te interesseren, hij wil een web weven en die spijltjes zijn daar heel geschikt voor.

Samira gilt: 'Een spin!'

De spin stopt even, alsof hij zeggen wil: dat weet ik ook wel.

Met grote angstogen volgt Samira de spin. Onverstoorbaar

kruipt hij van het ene spijltje naar het andere, er moet
gewerkt worden.

Samira staat als een pilaar in de goal, zodat de midvoor
van de tegenpartij met gemak de bal tussen haar benen
door kan spelen: 3-1.

'Hé, sta je te slapen?' vraagt Ineke.

'Spin,' fluistert Samira.

'Wat zeg je?'

Samira wijst naar haar helm. 'Helm.'

'Heel goed,' zegt Ineke, 'wat bedoel je eigenlijk?'

'Spijltjes.'

'Ook al goed, heb je een zonnesteek opgelopen?'

Samira schudt haar hoofd. Ondertussen gaat de wedstrijd
gewoon door. De volgende aanval van de tegenpartij
wordt bekroond met succes. Kinderlijk eenvoudig wordt
het 3 − 2, want de keeper van de thuisclub, Samira dus,
verroert zich niet. De supporters van de bezoekende ploeg
juichen, misschien betekent dit doelpunt de ommekeer in
de wedstrijd.

'Wat is er met jou aan de hand?' roept de coach vanaf de
zijlijn.

Samira antwoordt niet. Het lijkt of de spin haar gehypno-
tiseerd heeft, maar het beestje is zich van geen kwaad
bewust. Hij weeft zijn web met de bedoeling een prooi te

vangen. Dat hij daarvoor wel een heel bijzondere plaats uitgezocht heeft, ontgaat hem helemaal.

Het wordt al snel 3-3, want Samira reageert nergens meer op. Voor haar ogen wordt een spinnenweb geweven en dat is het enige waar ze zich mee bezighoudt. De coach steekt zijn handen smekend omhoog en stampt op de grond. 'Hoe is het mogelijk?'

Dat vragen alle speelsters zich af. Een van de scheidsrechters blaast op zijn fluitje en legt het spel stil. Haar teamgenoten komen om Samira heen staan. De coach wringt zich tussen de bezwete lijven door. Hij wappert met zijn hand voor het gezicht van Samira, er volgt geen reactie. 'Ze draait raar met haar ogen,' zegt de coach, 'we zullen haar op het gras leggen, voordat ze flauwvalt.'

Iedereen helpt een handje. Het lijkt of ze met een enorme buitenaardse paspop bezig zijn. Als Samira ligt, trekt de coach de helm van haar hoofd. Daar schrikt de spin van, hij maakt dat hij wegkomt, niemand ziet hem gaan.

Samira ontwaakt uit haar verdoving en staart verbaasd naar de bezorgde gezichten om haar heen. 'Er zat een spin in mijn helm,' stamelt ze, 'en ik ben doodsbang van spinnen.'

De coach en de scheidsrechters kijken elkaar aan en halen hun schouders op. 'Ze is door de warmte bevangen,' zegt de coach, 'daarom slaat ze wartaal uit. Ineke, jij gaat in plaats van Samira in de goal.'

'Oké.'

'En jij mag gaan douchen,' zegt de coach tegen Samira, 'voor jou is de wedstrijd afgelopen.'

'Maar ik mankeer niks,' zegt Samira, 'die spin...'

'De volgende keer zit er zeker een nest jonge muizen in je helm,' onderbreekt de coach haar.

Ineke helpt Samira uit haar beschermende kleding. Dat lucht op. Als het hoofd van Ineke in de helm verdwijnt, volgt Samira met een onderzoekende blik al haar bewegingen. 'Gelukkig is die spin weg,' mompelt ze.

Onwillekeurig moet ze rillen.

In de kleedkamer trekt Samira haar bezwete kleren uit en smijt ze in een hoek. Ze is kwaad op de coach, op de scheidsrechters, op zichzelf, maar... vooral op de spin. Als ze niet zo bang voor dat beest geweest was, zou ze...

Plotseling hoort ze een doffe bonk boven zich. Verschrikt kijkt ze omhoog. Een reuzenspin? Nee, tegen de klepraampjes duwt de luchtige huid van een ballon.

Een ballon?

Nieuwsgierig klimt Samira op de bank. Ze duwt een van de klepraampjes open. De ballon stijgt een stukje, zodat ze

het boek ziet hangen. Samira wringt haar arm door de
smalle opening van het raampje en trekt het boek naar
zich toe. Ze begint te lezen.
Terwijl ze leest, houdt de ballon zacht wiegend de wacht.

Een sprookje uit Indonesië

Gered door een spin

Apoe had op het rijstveld gewerkt. Daar word je moe van,
vooral als je urenlang met je voeten in de modder en met
je hoofd in de zon moet staan hakken om de vette kluiten
aarde klein te krijgen. Apoe zuchtte dan ook opgelucht
toen de eigenaar van het rijstveld hem vanaf het dijkje
bij hem riep en een handvol zilveren munten in zijn ver-
weerde handen drukte. Het was meer dan hij eigenlijk verdiende, maar hij had het verdiend.
'Je bent een harde werker, Apoe,' vertrouwde de eigenaar
hem toe, 'kom je morgen weer terug?'
Apoe keek naar de munten die de laatste zonnestralen
weerkaatsten. 'Morgen zeker niet, overmorgen waarschijnlijk niet, maar daarna misschien wel,' zei hij lachend.
'Dan heb ik je vandaag te veel betaald,' mompelde de
eigenaar.

'Dat is zeker,' zei Apoe, 'bedankt.'
Hij draaide zich om en liep weg.

Het huisje van Apoe stond aan de andere kant van een
hoge berg. Apoe volgde het smalle pad dat zich als een
slang om de berg heen kronkelde. Terwijl de zonnestralen
langzaam aan kracht verloren, begonnen de munten in
zijn hand steeds feller te gloeien.
Plotseling kreeg Apoe het gevoel dat hij gevolgd werd. Hij
keek om en zag drie mannen snel zijn richting uit komen.
'Hé, wacht even, je moet ons helpen!' riep een van hen.
Apoe stopte. De mannen kwamen om hem heen staan. De
grootste kerel greep Apoe bij zijn arm en trok hem ruw
naar zich toe. 'Je geld of je leven!' snauwde hij.
'Dat is een moeilijke keuze,' zei Apoe, terwijl zijn hart
tekeerging als een trom.
'Waarom?'
'Omdat ik dankzij mijn geld een goed leven heb,' antwoordde Apoe.
Daar moesten de mannen stevig over nadenken. Apoe
voelde dat de greep van de kerel die hem vast had, ver-
slapte. Hij rukte zich los en maakte dat hij wegkwam. Hij
rende alsof de dood hem op de hielen zat. Waarschijnlijk
was dat ook zo.

'Houd de dief!' riepen de mannen. Dat sloeg natuurlijk nergens op, maar ze moesten toch iets roepen. Ze zetten de achtervolging in.

Apoe rende zo hard als hij kon en sneller dan hij van zichzelf verwacht had. Toch hoorde hij dat de afstand tussen hem en zijn achtervolgers steeds kleiner werd. Hij moest zich snel ergens verstoppen. Maar waar?

Toen het bergpad weer een bocht maakte, ontdekte Apoe het donkere gat van een rotsspleet. Hij wilde er net induiken, toen hij de enorme kruisspin zag. Hij stond stijf van angst, want spinnen vond hij de griezeligste beesten op aarde en daarbuiten. Ze hadden niet mogen bestaan, maar nu ze er toch waren, ging hij ze liever uit de weg. Dat was natuurlijk onmogelijk op een smal bergpad.

'Angsthaas,' mopperde de spin.

Verwilderd keek Apoe achterom. Elk moment konden zijn achtervolgers de hoek om komen, hij kon hun hijgende adem al horen.

'Kom binnen,' fluisterde de spin, 'ik zal je helpen.'

Apoe maakte een afwerend gebaar. Hij wilde een stap achteruit doen, maar hij bedacht net op tijd dat hij daar geen ruimte voor had.

De spin kroop naar hem toe. Apoe zag zijn harige poten en zijn vraatzuchtige bek.

'Ik zal je helpen,' fluisterde de spin weer.

'Hoe?' vroeg Apoe.

'Eerst binnenkomen,' zei de spin.

'Ik... ik ben bang voor je.'

'Hoeft niet.'

'Jij hebt gemakkelijk praten.'

'Toch valt dat niet mee voor een spin.'

Apoe zuchtte. Als hij verder rende, zouden de dieven hem zeker inhalen. Hij moest zijn angst voor spinnen overwinnen, of hij wilde of niet.

'Komt er nog wat van?' vroeg de spin ongeduldig.

Apoe haalde diep adem en stapte in de rotsspleet. Hij zorgde ervoor dat hij zover mogelijk van de kruisspin vandaan bleef. Maar dat viel niet mee in de nauwe ruimte.

'Welkom in mijn nederige woning,' zei de spin, 'even de deur op slot doen.' Razendsnel begon hij voor de ingang van de rotsspleet een web te weven. Langzaam maakte de angst van Apoe plaats voor bewondering. Hij wist dat hijzelf zijn handen uit de mouwen kon steken, maar wat de spin presteerde, was ongelooflijk, dát was nog eens werken.

Toen Apoe zijn achtervolgers duidelijk kon horen, was de spin klaar. Vergenoegd ging hij in het uiterste hoekje van zijn web zitten.

Hij knipoogde naar Apoe. Of verbeeldde hij zich dat?
'Waar is die kerel ineens gebleven?' vroeg de eerste dief
zich hardop af. Hij keek omhoog alsof Apoe ineens vleu-
gels gekregen had en in de ijle lucht boven de bergen
wegzweefde.
'Volgens mij heeft hij zich in deze rotsspleet verborgen,'
opperde de tweede. Hij keek zijn twee vrienden aan met
een gezicht van 'is dat niet vreselijk slim van mij?'
De derde dief schudde langzaam met zijn hoofd. 'Iets
klopt hier niet,' mompelde hij. Plotseling klaarde zijn
gezicht op. 'Die vent kan zich nooit in die spleet verstopt
hebben.'
'Waarom niet?'
'Omdat voor de ingang een spin zijn web geweven heeft.'
'Nou en?'
'Die vent kan nooit naar binnen gegaan zijn zonder eerst
dat spinnenweb te vernielen.'
Daar moesten de twee anderen flink over piekeren. De
spin kroop intussen behoedzaam langs de hoofddraad van
zijn web.
De mannen volgden hem met hun ogen. Grijnslachte de
spin naar hen?
'Web,' zei de eerste dief.
'Spin,' zei de tweede.

'Spinnenweb,' zei de eerste weer.

'Spinnenweb,' herhaalde de tweede.

'Heb ik gelijk of niet?' vroeg de derde.

De andere twee knikten.

'Rennen!'

Weg waren ze.

'Bedankt spin,' zei Apoe toen hij er zeker van was dat zijn achtervolgers niet meer terug zouden komen, 'ik ga nu naar huis. Maar... dan ben ik wel gedwongen jouw web te beschadigen.'

'Komt niks van in,' zei de spin. Uitdagend ging hij in het midden van zijn web zitten. 'Kom er maar eens langs als je het lef hebt.'

Apoe schrok zo verschrikkelijk dat zijn mond zich vulde met warm spuug.

Toen lachte de spin. Of leek dat maar zo?

'Ik zal je geen kwaad doen, hoor,' zei hij. 'Voordat jij thuis bent, heb ik weer een nieuw web geweven.'

Apoe stapte uit de rotsspleet. 'Ik hou van jou, spin!' riep hij harder dan de bedoeling was. Hij wist ook niet zeker of hij het echt meende, maar het luchtte in ieder geval op.

'Kom je nog eens langs?' vroeg de spin.

'Ja, lángs wel,' antwoordde Apoe. Glimlachend vervolgde hij zijn weg. De zilveren munten gloeiden in zijn hand. Toen Apoe goedgehumeurd zijn huisje binnenging, ving de kruisspin zijn eerste prooi in zijn nieuwe web. ∎

5 *Ergens in Nederland*

De zesde ballon
is voor Remon

Remon vertraagt zijn pas. Hij kan de poort van de speelplaats nauwelijks zien, maar het lijkt of zijn buik al beseft
wat er komen gaat en dat zijn benen daar meteen op
reageren. Hij zucht diep, maar het opgeblazen gevoel verdwijnt niet.
Bij de poort hangt een groep jongens rond. Remon weet
wie het zijn: Bart, Adriaan en Geertjan uit groep acht.
Natuurlijk staan ze de kinderen die de poort door willen,
weer op te wachten.
Welke opmerkingen zal hij deze keer naar zijn hoofd
geslingerd krijgen? Of geeft Geertjan hem weer een harde
duw, zodat hij tegen de muur valt?
'Hé bril, kijk uit waar je loopt!' zal Adriaan vervolgens met
zijn schelle stem roepen. Of misschien heeft hij deze keer
een gedachte die wat origineler is, al betwijfelt Remon

dat. Hij weet in ieder geval dat hij spitsroeden moet lopen. Natuurlijk is hij een gemakkelijk slachtoffer met die vuistdikke brillenglazen voor zijn ogen.

'Ach joh, trek het je niet aan,' blijft zijn moeder als een eindeloze echo herhalen, 'iedereen mankeert wel wat.'

Dat is een schrale troost, mama, en bovendien klopt het niet. Bij andere kinderen zijn hun gebreken min of meer verstopt. Als je een beugel hebt, kun je je mond wat meer dichthouden en niemand heeft in de gaten dat je een beugelbekkie bent. Trouwens, het lijkt wel of je er dan juist méér bij hoort!

Heb je rood haar? Dat is tegenwoordig al helemaal geen probleem, dan neem je toch een andere kleur? Alles kan: zwarte stekels, een paarse hanenkam, rastavlechten, je sterrenbeeld uitgeschoren op de zijkant van je hoofd, geblondeerde punten, de Nederlandse driekleur in de buurt van je kruin, oranje boven...

Bij mij is overduidelijk wat ik mankeer, mama, het is van mijn gezicht af te lezen. Mijn bril is lomp en onhandig. Ik kan hem nooit afzetten, want dan veranderen mensen in donkere schimmen die zich voortbewegen in dichte mist, muren staan dan plotseling voor me alsof ze naar mij toe gekomen zijn in plaats van andersom.

Schoorvoetend loopt Remon naar de poort toe. Hij houdt

zijn hoofd gebogen. Als ik die vervelende jongens niet zie, zien ze mij ook niet, is de gedachte die plotseling door zijn hoofd schiet. Hij moet erom glimlachen. Zijn moeder heeft hem weleens verteld dat hij, toen hij een jaar of drie was, hetzelfde deed als ze samen verstoppertje speelden. Dan hield hij zijn handen voor zijn ogen, het werd donker, hij zag niets meer en dus had hij zich verstopt. Nu weet hij wel beter. Hij probeert gewoon niet op te vallen. Maar of het helpt...

Vóór Remon loopt een leerling van groep twee. Het kereltje heeft bij de hoek van de school dapper afscheid genomen van zijn moeder, kusje, en stapt nu helemaal alleen parmantig naar de speelplaats. Zijn rugzakje dobbert mee op zijn rug. Remon haalt het ventje in. Meteen ziet hij zijn brilletje. Jij ook al, denkt Remon. En nu maar hopen dat in de loop van de tijd jouw brillenglazen niet zo dik worden als die van mij.

Remon en het kereltje komen tegelijk bij de poort. Bart, Adriaan en Geertjan staan er nog. Ze zullen daar blijven tot de zoemer gaat, weet Remon, en glippen op het laatste nippertje naar binnen.

'Hoe heb jij die zware bril op je hoofd gekregen?' vraagt Adriaan. 'Heeft je mammie je soms geholpen?'

Schuw kijkt Remon op. Hij denkt dat Adriaan het tegen

hém heeft, maar tot zijn opluchting ziet het groepje hem helemaal niet staan. Hij kan gewoon doorlopen, alsof het de gewoonste zaak van de wereld is.

Adriaan buigt zich naar het ventje. 'Volgens mij hebben jullie thuis een takelwagentje staan, een brillentakelwagentje.'

De kleuter kijkt schuw om zich heen.

'Hé kleine, ik heb het tegen jou!' Adriaan pakt het hoofd van de kleuter met twee handen beet en draait het ruw zijn kant op.

Van een afstand ziet Remon dat de drie jongens de kring rond de kleuter steeds kleiner maken. Hij balt zijn vuisten. Kunnen die drie wel tegen zo'n klein kind? Lafaards! Hij zou het uit willen schreeuwen, maar het woord blijft in zijn hoofd hangen en lost op. Zal hij de meester die pleinwacht heeft, waarschuwen? Nee, want dan trekt hij weer aandacht. Eigenlijk heeft hij geluk dat ze hem deze keer met rust gelaten hebben, morgen is híj misschien weer het slachtoffer. Natuurlijk is het naar voor dat kereltje, maar hoe vaak is hijzelf niet getreiterd?

De zoemer gaat. Remon loopt naar de deur. Het opgeblazen gevoel in zijn buik is niet geweken, maar het heeft nu een andere oorzaak. Hij kijkt om. Het ventje rent naar de deur van de onderbouw. Het rugzakje slaat tegen zijn rug

alsof het hem vooruit wil duwen. Remon ziet dat het
kereltje huilt en voor Remon voelt het alsof het zijn eigen
verdriet is. Waarom heeft hij hem niet geholpen? Wie is
hier de echte lafaard? Maar...

'Schiet eens op, Remon,' klinkt de stem van meester Will,
'ik kan er niks aan doen, maar de schooldag begint nu
echt, jongen.'

Remon glimlacht schaapachtig naar hem. 'Mag... mag ik
nog even naar de wc?'

Als Remon op de wc zit, loopt zijn buik leeg als een opgeblazen ballon. Maar hij kan de gebeurtenis niet van zich
afzetten.

Als dat kereltje de volgende keer weer gepest wordt, help
ik hem, denkt hij vastberaden. Maar tegelijk weet hij dat
hij daar niet zo zeker van is. Eens een lafaard, altijd
een...?

Plotseling hoort hij een harde klap boven zich. Hij kijkt
op, het klepraampje is dichtgeslagen. Komt dat door de
wind? Dat kan niet, want het is windstil. Hé, nu valt het
weer open. Niks aan de hand, dus.

Remon komt overeind, doet alles wat gedaan moet worden en wil weglopen. Maar als hij een paar nijdige tikken
hoort, draait hij zich met een ruk om. Achter het klep-

raampje hangt een boek, uitdagend blijft het tegen het klepraampje tikken.

Met veel moeite heeft Remon het boek te pakken gekregen. Hij zit weer op de wc, maar nu met zijn broek aan. Zijn ogen gaan langs de zinnen, het verhaal zuigt hem naar binnen. Hij vergeet alles om zich heen.

Een sprookje uit Indonesië

Hoe Kantjil zijn tweelingbroer redde

Kantjil het dwerghertje, stak zijn spitse snuit uit het struikgewas en deed voorzichtig een paar stapjes naar voren. Maar hij bleef op zijn hoede. Bij het minste gevaar kon hij weer verdwijnen en zagen ze hem voorlopig niet meer terug. Het dwerghertje ging door het oerwoud op weg naar de rivier om zijn dorst te lessen. Hij vond zijn weg gemakkelijk, want het was een heldere nacht.
Plotseling spitste Kantjil zijn oren. Hij ving een hoog klagend geluid op. Het kwam uit de richting van de rivier. Wat gebeurde daar?
Aan de oever van de rivier stond een biggetje. Het maan-

licht gaf zijn roze huid een vreemde glans. Het biggetje staarde naar het water. Daar was op het eerste gezicht niets te zien, maar maneschijn bedriegt. In de stroming van de rivier lag een krokodil. Met zijn vochtige, bolle ogen leek hij het doodsbange biggetje te hypnotiseren, het arme dier kon geen poot verzetten. Tergend langzaam klauterde de krokodil tegen de oever op, zeker van zijn prooi.

'Maak dat je wegkomt!' riep Kantjil naar het biggetje.

Het varken piepte van angst, maar bewoog geen poot.

'Laat mijn prooi met rust!' snauwde de krokodil. Hij opende zijn bek.

Kantjil zag de rijen scherpe tanden. Er ging een rilling langs zijn rug.

'Wegwezen!' Kantjil gaf het biggetje een duw, maar het beest leek zich vastgezogen te hebben in de modder.

'Vette varkens zijn niet vies,' grijnsde de krokodil.

Kantjil keek van de krokodil naar het biggetje. Hij moest snel reageren, anders liep het slecht af.

'Als u mijn tweelingbroer aanraakt, meneer de krokodil, sla ik u een blauw oog!' riep het dwerghertje.

Van verbazing klapte de krokodil zijn bek dicht. 'Jouw tweelingbroer?'

'Ja, wij komen uit hetzelfde ei.'

'Maar... maar jullie lijken helemaal niet op elkaar.'

'Oh nee? Kijk maar eens goed.'

De krokodil kneep een oog dicht. 'Ik heb het vermoeden dat je me voor de gek probeert te houden, dwerghertje.'

'Ik zou niet durven, meneer de krokodil. Ziet u niet dat wij allebei een spitse snuit hebben?'

'Dat is niet waar!'

'Ziet u niet dat wij allebei een roze huid hebben?'

'Je liegt!'

'Ziet u niet dat wij allebei een krulstaartje hebben?'

'Onzin!'

De krokodil kroop verder de oever op. 'Jullie lijken net zoveel op elkaar als ik op jou lijk, dwerghertje, maar één ding hebben jullie gemeen: Ik ga jullie allebei opvreten.' Van pret sloeg de krokodil zo hard met zijn staart op het water dat de druppels in het rond vlogen. Het biggetje begon weer klaaglijk te piepen.

'Ik... ik durf te wedden dat biggetje en ik meer op elkaar lijken dan jij op je hele familie, meneer de krokodil,' zei Kantjil.

Het biggetje keek Kantjil aan. Zijn neus rimpelde van het denken. Wat was dat dwerghertje van plan?

'Daar geloof ik niks van, maar goed... ik hou wel van een weddenschap,' gaf de krokodil toe.

'Als ik de weddenschap verlies, mag je ons allebei opvreten,' zei Kantjil.

De krokodil bewoog zijn kop heen en weer. 'Dat was ik toch al van plan.'

'Maar als ik win, moet je ons laten gaan.'

'Dat is makkelijk beloofd,' mompelde de krokodil. Hij draaide zich half om. 'Komen jullie eens hier, papa en mama, broers, zussen, neven en nichten! En jij ook, opa, ouwe groenbak!'

Tientallen krokodillenlijven gleden door de stroom. Ze leken op elkaar als twee druppels water.

'Ik heb gewonnen!' riep de krokodil triomfantelijk. 'Smakelijk eten!'

'Wat een lekker biggetje,' zei een van de neven.

'Het water loopt me in de bek,' kraste opa.

'Hou je fatsoen, manlief,' siste oma. 'Maar je hebt gelijk: die twee zien eruit om op te vreten.'

'Dat dwerghertje mag er wezen,' mompelde een van de nichtjes, 'een beetje mager, maar toch...'

'Ze zijn voor mij,' waarschuwde de krokodil, 'ik heb de weddenschap gewonnen.'

Kantjil knikte. 'Dat klopt.'

'Maar wij hebben allemaal honger!' riepen de krokodillen in de rivier.

'Dat kan wel zijn,' zei Kantjil, 'maar wij zijn de maaltijd van meneer hier. Smakelijk eten, meneer de krokodil!'
Het biggetje begreep er nog steeds niets van en begon weer te piepen.
Een van de zussen van de krokodil beet in zijn staart en trok hem ruw achteruit het water in. De andere krokodillen gingen er zich ook mee bemoeien. Er ontstond een bitter gevecht om Kantjil en het biggetje.
Krokodillenlijven buitelden over elkaar heen, krokodillenbekken klapten open en dicht, krokodillenstaarten sloegen woedend op het water, krokodillentanden knarsten.
Wie de familieruzie ging winnen, konden Kantjil en het biggetje niet ontdekken, die beesten leken allemaal op elkaar. Ze wachtten trouwens het eind van de strijd niet af. Samen renden ze het oerwoud in. Kantjil stak zijn spitse snuit uit het struikgewas en riep: 'Eerlijk gezegd lijken jullie helemaal niet op elkaar, meneer de krokodil, want de een is nog stommer dan de ander!'

6 *Ergens in Nederland*
De zevende ballon is voor Floor

Op de maat van de muziek danst jeugdprinses Floor de
Eerste aan het hoofd van een lange slang kinderen de
feesttent rond. Ze zwaait met haar zwarte steek. De kin-
derslang kronkelt zich om het carnavalsorkest heen. De
trom klinkt boven de muziek en de zingende kinderen uit.
Floor kijkt naar de trommelaar. Het is een gespierde kerel.
De grote trom hangt voor zijn buik. Op de maat van de
slagen wiegt zijn lijf heen en weer. Zijn hoofd is zo kaal
als het vel van zijn trom. Hij heeft er knalrode strepen
overheen geschilderd.
'Zet 'm op, kale!' roept Floor.
De jongen lacht en tikt met een van de stokken tegen zijn
voorhoofd. Hij danst naar Floor toe en gaat voor haar
lopen. 'Volg mij maar, prinses carnaval!'
Floor pakt de jongen bij zijn middel en de slang danst

verder. De trommelaar waggelt als een reuzeneend naar de uitgang van de tent.

'Waar gaan we heen?' vraagt Floor.

'Naar buiten!' roept de jongen.

Floor lacht. 'Dat meen je niet.'

De kale jongen zegt niets meer. Hij gaat steeds harder op zijn trom slaan. De slagen dreunen tussen de oren van Floor.

Buiten schijnt de zon. Het is een schuchter februarizonnetje, maar toch glanst het kale hoofd van de jongen ervan. De rode strepen lijken licht te geven. Floor knippert met haar ogen. Enkele kinderen lopen terug naar de tent, maar de rest volgt de trommelaar en de jeugdprinses.

'Waar gaan we heen?' vraagt Floor weer.

'Dat zul je wel zien!'

Tegenover de feesttent is het kerkhof. Het hoge smeedijzeren hek staat open, alsof de kale trommelaar met zijn aanhang verwacht wordt.

De trommelaar loopt dansend het grindpad op. Flarden muziek waaien vanuit de tent over het kerkhof. Floor hoort dat de grote trom gemist wordt. De carnavalsdeuntjes klinken minder feestelijk zonder het ritmische gebonk van de trom. Hij kijkt om. Alsof een geest hen op de hielen zit, rennen de kinderen terug naar binnen. Ook Floor laat de trommelaar los. 'Ik ga!'

De kale jongen blijft staan en draait zich om. 'Waarom?'

Terwijl ze langzaam achteruitloopt, haalt Floor haar schouders op. 'In... in de tent is het gezelliger.'

De kale jongen lacht, zijn trom schudt ervan. Hij wijst naar de graven: 'Het is hier inderdaad maar een dooie boel.'

'Waarom moet je zo nodig naar het kerkhof toe?' vraagt Floor.

De trommelaar maakt een paar danspasjes en slaat hard op zijn trom. 'Ik wil wat leven in de brouwerij brengen.'

Floor staart de kale jongen aan. 'Je bent dronken.'

Het gezicht van de trommelaar betrekt. 'Was dat maar waar,' fluistert hij, 'was dat maar waar, prinses carnaval.'

'Straks missen ze me in de tent,' zegt Floor.

De trommelaar knikt, hij glimlacht verlegen. 'Je hebt gelijk, een prinses hoort bij haar onderdanen te zijn.'

'En jij bij het orkestje.'

'Kijk, hier liggen mijn opa en oma,' zegt de jongen, 'en daar... daar wil ik rusten als het zover is.'

Hij wijst naar een leeg grasveldje naast de twee graven.

'Ik ga!' roept Floor met overslaande stem.

'Ik ook,' beaamt de jongen, 'in de tent is het inderdaad veel gezelliger.'

Op de maat van de trommelslagen lopen ze terug. Ze zeggen niets tegen elkaar. Floor kijkt van opzij naar de kale trommelaar. Wat een rare vent, denkt ze, wie gaat er nou carnaval vieren op het kerkhof? Is er binnenin dat kale hoofd iets niet in orde? Misschien zijn de haren van de jongen naar binnen gegroeid, door zijn hersens heen.

Floor schiet in de lach.

'Waar moet jij zo om lachen?' vraagt de trommelaar.

Floor haalt haar schouders op. 'Een binnenpretje.'

De trommelaar doet net of hij haar met een van zijn stokken wil slaan. Floor springt weg. 'Mis.'

De trommelaar lacht nu ook. Het orkestje is steeds duidelijker te horen. De trommelslagen voegen zich weer in de muziek. De kale jongen en Floor dansen naar binnen en de kinderen sluiten zich meteen weer achter hen aan.

Het is een doodgewone schooldag in maart. Het lentezonnetje schijnt vrolijk door de ramen van het klaslokaal. Floor staart naar buiten. Wat gaat de tijd toch vlug. Het is alweer een maand geleden dat zij prinses carnaval was. Het grasveld waarop de tent stond, is weer mooi groen, dat kan ze vanaf haar plaats zien. Gele en paarse krokusjes steken hun kopjes dapper boven het gras uit.

Als de kerkklokken beginnen te luiden, schrikt Floor op uit haar gemijmer.

De meester kijkt de klas rond. 'Jullie kennen allemaal de jongen die begraven wordt,' zegt hij.

De klas is er stil van.

'Wie is er met carnaval in de feesttent geweest?'

De meeste vingers gaan de lucht in.

'Dan hebben jullie zeker die kale trommelaar gezien.'

'Ja!' roept Floor. Nee toch? denkt ze.

'Die jongen leed aan kanker,' zegt de meester. 'De genees-middelen hadden hem een kaal hoofd bezorgd, maar ze konden hem niet genezen.'

'Ik heb nog met hem gedanst,' zegt Floor, 'op... op het kerkhof.'

Plotseling moet de meester zijn neus snuiten, hij draait zich vlug om. Floor krijgt een brok in haar keel.

De school is uit. Floor loopt naar het kerkhof. Het smeedijzeren hek staat open alsof ze verwacht wordt. Ze heeft het graf snel gevonden, want per slot van rekening is ze er eerder in de buurt geweest. Er liggen kransen en bloemen, veel bloemen. Op de plaats waar de grafsteen moet komen, staat de trom, de trommelstokken liggen er geluidloos naast. Floor pakt een stok beet en slaat zacht tegen het strakgespannen vel van de trom. Weer slaat ze, harder nu. Het geluid dreunt over het kerkhof. Ze blijft slaan. De trommelslagen voegen zich bij het carnavalsdeuntje dat in haar hoofd ontstaat en de tranen die van haar wang glijden. Het is haar afscheidslied voor de kale trommelaar. Ze probeert er haar verdriet mee te overstemmen. Het lukt niet.

Over de graven zweeft langzaam een ballon naar Floor toe. Ze heeft het pas in de gaten als het boek tegen de trom slaat. Voorzichtig zet ze de trom terug, pakt het boek, gaat op het dichtstbijzijnde graf zitten en begin te lezen. Eerbiedig houdt de ballon de wacht.

Een sprookje uit Indonesië

Het begin

De zon was er altijd al. Ze scheen boven de godenhemel Suralaya en bracht licht en warmte in het eeuwige leven van de goden en godinnen. Dat hadden ze wel verdiend, want eeuwig leven lijkt prettig, maar valt achteraf gezien niet mee.

De aarde bestond nog niet. Er was alleen lucht. Die lucht

kon ingeademd en gelukkig ook uitgeademd worden, maar er was niemand die dat deed. Er wás niemand. Zo kon het niet langer blijven. Dus daalde er een spin aan haar draad uit de godenhemel Suralaya neer. Dat ging langzaam, maar sneller dan je denkt. Terwijl de spin aan het spinnen en aan het dalen was, weefde ze een groot, veerkrachtig web.

Toen haar draad op was, riep de spin: 'Klaar... af!'

Er viel een diamantje in haar spinnenweb. Dat diamantje kon van de lucht leven en begon te groeien. Het groeide uit tot een flinke schijf die de hele ruimte (en dat was nogal wat) onder de godenhemel in beslag nam.

'Hallo diamant, hoe bevalt mijn web?' vroeg de spin.

De diamant zweeg in alle talen en bleef zwijgen. De spin had veel verdriet om dit onbehouwen gedrag van de diamant en stierf. Zij was het eerste sterfgeval van de wereld. Haar draad bleef gelukkig hangen.

Heel lang gebeurde er niets.

Ineens voelde de diamant dat iets op hem landde. Het was een slak. Hij was op z'n gemak langs de spinnendraad komen glijden. Een worm kronkelde achter hem aan.

Het wordt druk hier, dacht de diamant.

We moeten aan het werk, dachten de slak en de worm. Ze begonnen aarde te maken.

Eerst een beetje, toen heel wat meer en daarna een enorme hoeveelheid. Ze bedekten er de hele diamant mee en zo ontstond de aarde. De slak en de worm vonden er hun graf.

De zon had meer dan genoeg licht en warmte en besloot er ook wat van aan de aarde te geven.

Heel lang gebeurde er niets.

Toen klauterde een reuzenschildpad langs de spinnendraad naar beneden. Het duurde lang voordat hij op de aarde stond, want schildpadden nemen er hun tijd voor. Hij begon met zijn poten in de aarde te ploegen. Daardoor maakte hij bergen, dalen en geulen in de aarde. Hij was heel lang aan het werk en toen hij klaar was, besloot hij te gaan slapen.

Heel lang gebeurde er niets.

Plotseling werd er aan de spinnendraad getrokken. De goden in Suralaya haalden de draad op. Ze bonden er een

rieten mandje aan en lieten hem toen weer zakken.
Nauwelijks had het mandje de aarde geraakt, of er begon
water uit te stromen. De dalen vulden zich, werden zeeën
en oceanen. De geulen veranderden in rivieren. De slapende reuzenschildpad werd door de stroom meegevoerd
en verdronk. Alleen zijn rugschild bleef over, dat dobber-
de als een enorm, stuurloos scheepje op het water.

Heel lang gebeurde er niets.

De goden in Suralaya haalden de spinnendraad weer op en
bonden er deze keer een grote zak zaad aan. Voorzichtig
lieten ze de zak aan de draad naar beneden zakken. Wat
was die zwaar! Zelfs voor goden was er geen houden aan.
Ze lieten de draad los. De zak kwam hard op het rugschild
van de verdronken reuzenschildpad terecht en scheurde
open. Het zaad stoof alle kanten op. Veel zaadjes vielen
in het water. Er groeiden waterplanten op de bodem van
de rivieren, meren, zeeën en oceanen. Waar de zaadjes
vaste grond raakten, ontkiemden ze ook. Er kwamen
bomen, planten en bloemen op aarde, want zij konden
leven van grond, water, licht en lucht. Zij gaven de aarde
kleur.

Heel lang gebeurde er niets.

De aarde lag te wachten op... ja, op wat?
Twee geesten, een vrouwelijke en een mannelijke, klommen vanuit Suralaya langs de spinnendraad naar beneden. Ze werden in de godenhemel niet voor vol aangezien en wilden op aarde een nieuw leven beginnen. Dat kwam goed uit. De man bracht een gouden fluit mee en de vrouw een zandloper. Met de fluit kwam droevige, romantische en vrolijke muziek op aarde. De zandloper gaf de tijd aan voor lachen en huilen, voor werken en rusten, voor vrijen en vechten...
De man en de vrouw werden verliefd op elkaar. Dat ging gemakkelijk, want er was niemand anders.
'Jij hoort bij mij en ik hoor bij jou,' zei de man.
'Dat zal de bedoeling zijn,' antwoordde de vrouw.
De man smeedde een prachtige gouden ring voor zijn vrouw. Hij zette er een rode saffier in. Onder die flonkersteen verstopte hij een zaadje. Hij wist niet precies waarom hij dat deed, maar hij vond het een mooi idee.
Samen kregen de man en de vrouw een heleboel kinderen. Ze noemden zich mensen en voedden zich met planten. Dieren waren er nog niet.

Vergeten?

Nee, niet vergeten, want op een dag ging de vrouw naar de oudste boom op aarde. Hij leunde vermoeid op zijn wortels.

'Boom, er staan duizenden verschillende soorten planten, bloemen en bomen op aarde. Maar er is slechts één soort die vrij rondloopt: wij mensen. Daar moet verandering in komen.'

De boom dacht na. 'Waarom moet dat veranderen?' vroeg hij toen.

'Eerlijk is eerlijk,' antwoordde de vrouw, 'wij zijn alleen en jullie met velen.'

De boom dacht weer na. 'Je hebt gelijk, vrouw,' zei hij na lange tijd. 'Hak mij maar om en bouw een mooi huis van mijn hout. Maar bewaar de stukken schors, ook de kleinste splinters, die heb je nodig.'

'Als ik je omhak, ben je dood, boom,' zei de vrouw.

'Dat weet ik, maar voor alles is een begin en een eind, en een begin... dat zul je zelf ook ontdekken.'

De vrouw en de man bouwden een mooi huis. Dit was het eerste paleis op aarde. Voor hun deur lag de hoge berg boomschors. De wind kreeg er vat op en blies de schors alle kanten op. De stukken veranderden gaandeweg in spinnen, hagedissen, slangen, krabben, maar ook in tij-

gers, olifanten, dwerghertjes, vogels, vlinders... noem
maar op. Kruipend, sluipend, snuivend, glijdend, sprin-
gend, dravend, galopperend, fladderend, vliegend en
wevend zochten de dieren een goed heenkomen.
Er waren ook stukken schors in het water gevallen. Die
stukken werden vissen, garnalen en allerlei andere water-
diertjes. De splinters die over de drempel van het paleis
geblazen waren, werden huisdieren, zoals kippen, hon-
den, koeien, katten en geiten. Ook een witte muis zag
kans ongemerkt naar binnen te glippen. Hij verstopte zich
in de kelder van het paleis. Vandaar: waar mensen zijn,
zijn muizen.
De man kwam er algauw achter dat het gevaarlijk geworden was zonder wapens het bos in te gaan.
'Dag dier, hoe gaat het ermee?' begroette hij de tijger die
hij op een goede dag tegenkwam.
'Ik heb honger,' antwoordde de tijger en sprong op de man
af. Hij kon ternauwernood aan het woeste beest ontsnap-
pen door in een boom te klimmen. Was jij maar een stukje
schors gebleven, tijger! dacht hij, terwijl hij tot ver na
etenstijd hoog in het bladerdak zat.
Toen de tijger er achterkwam dat de man meer geduld had
dan hij, ging hij een andere prooi zoeken.
De man klom naar beneden en besloot twee stevige

wapens te maken: een kris en een lans. De wilde dieren kregen ontzag voor hem.

Zo is alles begonnen.

En wat gebeurde er met de spinnendraad?
Als het goed is, hangt hij er nu nog. ▌

*De boekballonnen waren
weer verdwenen, voordat de
kinderen beseften wat er
gebeurd was. De volgende
dag vertelde Erik zijn verhaal
aan Koen. Dat verhaal kwam Koen bekend voor.
Tijdens het partijtje trefbal aan het eind van de gymles
speelden de twee vrienden in dezelfde partij, want Koen
had Erik gekozen. Ze verloren flink, samen.*

*Giechelend fluisterde Ingrid: 'Wat
ben jij lelijk, zeg!' in het oor van
haar beste vriendinnen. Annemarie
en Tessa moesten erom lachen.
Hun buitenbeugels schitterden in
het zonlicht. Het meidengroepje
had trouwens een nieuwe naam
gekregen: twee met – één zonder.*

Niek zong het liedje van het meisje in de maan de hele dag. Het deuntje wilde maar niet uit zijn hoofd. Zelfs tijdens het zwemmen neuriede hij het. Dat liedje hielp hem de zeven zware meters onder water door te komen. Hij had zelfs nog lucht over. Een beetje maar, hoor.

Samira dacht er serieus over een spreekbeurt te houden over spinnen. Ze wilde die griezels zelfs laten zien aan haar klasgenootjes. In een potje, natuurlijk. Met een stevig deksel erop. Dat spreekt vanzelf. Ze had alleen nog niemand gevonden die de spinnen voor haar durfde te vangen.

En Remon? Hij heeft al zijn moed bij elkaar geraapt. Dat was meer dan hij verwacht had. Toen het kereltje van

groep twee weer een keer het slachtoffer van de pesterijen dreigde te
worden, heeft hij Adriaan en zijn
vrienden met een spottend glim-
lachje gevraagd of ze zijn tweeling-
broertje met rust wilden laten. Die
opmerking wekte zoveel hilariteit in de
buurt van de poort dat de drie met hun mond vol tanden
stonden. Even later wist de hele speelplaats hoe gevat
Remon gereageerd had. Daardoor moesten de drie pest-
koppen zich voorlopig gedeisd houden.

Floor bleef nog een hele tijd droevig,
maar op een of andere manier ver-
zachtte het sprookje haar verdriet.
Ze kon zelfs door haar tranen heen
glimlachen om die wonderlijke
gebeurtenissen in het sprookje.

Er zijn trouwens nog meer boekballonnen. Zij schijnen vooral rond te
hangen in de buurt van bibliotheken. Ieder met een
eigen verhaal.
Voor wie zijn die?
Tja... ∎

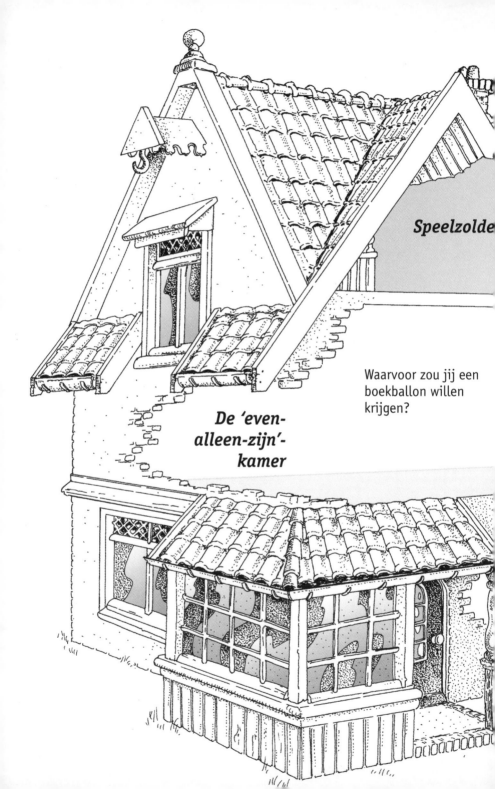

Speelzolde

De 'even-
alleen-zijn'-
kamer

Waarvoor zou jij een
boekballon willen
krijgen?

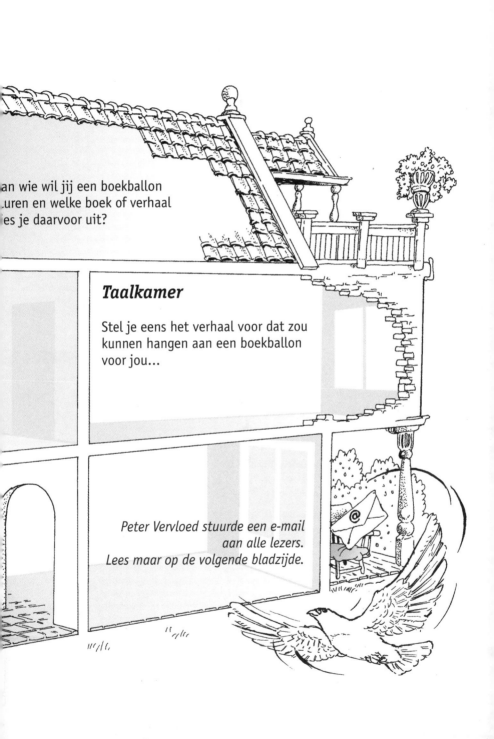

an wie wil jij een boekballon
...uren en welke boek of verhaal
...es je daarvoor uit?

Taalkamer

Stel je eens het verhaal voor dat zou
kunnen hangen aan een boekballon
voor jou...

Peter Vervloed stuurde een e-mail
aan alle lezers.
Lees maar op de volgende bladzijde.

Van: pvervloed@planet.nl
(of mail via: villa@maretak.nl)
Website: www.petervervloed.nl
Aan: <alle lezers van VillA Alfabet>
Onderwerp: Zwevend bezoek

Als ik op een school of in een bibliotheek kom vertellen over mijn boeken, zing ik vaak het gedicht 'De sprookjesschrijver' van Annie M.G. Schmidt.
In dit gedicht vertelt zij over een schrijver die zijn pen in zijn vijver met inkt doopt en zijn volgende sprookje op papier zet. Die vijver, waarin waarschijnlijk ook inktvissen rondzwemmen, vormt zijn inspiratiebron.
Ik schrijf ook graag sprookjesachtige verhalen, maar ik heb geen vijver met inkt in de tuin. Daarom moet ik mijn inspiratie ergens anders vandaan halen. Gelukkig komt mijn vrouw uit een land waar verhalen over geesten, tovenaars, gruwelijke monsters en slimme dwerghertjes nog springlevend zijn: Indonesië.
Als mijn vrouw en ik in dat tropische land op familiebezoek zijn, lijk ik op de sprookjesschrijver van Annie M.G. Schmidt. Vooral 's avonds als de zon ondergegaan is, maar je zijn weldadige warmte nog overal voelt, komen mysterieuze verhalen los. Ik schrijf ze op, vul ze aan met mijn fantasie... ik doop mijn pen in de vijver met inkt.

Naast schrijver ben ik onderwijzer. Ik geef les op een basis-school. Kinderen vertellen me wat ze meemaken op de speel-plaats, bij de sportclub, tijdens verjaardagsfeestjes. Het zijn leuke of vervelende, grappige of verdrietige gebeurtenissen. Daarover schrijf ik ook graag.

In deze bundel heb ik doodgewone gebeurtenissen van kinderen in Nederland gekoppeld aan sprookjesachtige verhalen uit Indonesië.

Waarom ik verteld heb over zeven ballonnen? 'Zeven' is mijn lievelingsgetal. Ik heb een Indonesische dolk in mijn bezit: een kris. Deze kris heeft zeven golven. Vandaar.

Peter Vervloed

VillA-vragen

🏠 *Vragen na hoofdstuk 1, bladzijde 26*
1 Meester Ad stuurt Erik naar de kleedkamer. Wat vind jij van deze beslissing?
2 Op bladzijde 15 kunnen Sami en Dongso geen betere oplossing bedenken dan wat Awena voorstelt. Weet jij iets beters?

🏠 *Vragen na hoofdstuk 2, bladzijde 40*
1 Vind jij dat mooi zijn, geluk brengt?
2 Denk jij dat je smoorverliefd kunt zijn op een stem?

🏠 *Vragen na hoofdstuk 3, bladzijde 63*
1 De badmeester gooit Niek in het water. Hoe voelt dat bij hem vanbinnen?
2 Joena verklapt maar de helft van zijn geheim aan Rawena. Welke helft vertelt hij niet?

🏠 *Vragen na hoofdstuk 4, bladzijde 76*
1 Hoe bang ben jij voor spinnen en vind jij dat Samira bang mag zijn?
2 'Houd de dief,' roepen de mannen (bladzijde 71). Wat konden ze niet roepen?

🏠 *Vragen na hoofdstuk 5, bladzijde 87*
1 Moeder vindt dat iedereen wel wat mankeert. Vind jij dat ook? Waarom zegt moeder dat?

2 Wat kan een dwerghertje tegen een krokodil doen? Wat maakt dit dwerghertje zo sterk?

♦ *Vragen na hoofdstuk 6, bladzijde 101*
1 Wat zou jij doen als jij Floor was en bij het graf stond van de trommelaar?
2 Kun jij jezelf een binnenpretje herinneren?

♦ *Vraag na bladzijde 104*
Geef eens jouw mening: wie heeft het meeste hulp gehad door de komst van een boekballon en waarom vind je dat?

VillA Alfabet